Pet Bugge

# Kari, die kleine Tierfreundin

Ein munteres Ding ist die kleine Kari, die in dem schönen, weißen Haus am Walde wohnt.

Ihre beste Freundin ist die große Hündin Thyra, die zu Karis Freude sogar mit dem Kater Graupelzchen Freundschaft schließt. Auch im Geflügelhof hat Kari einen Liebling, das Huhn Marte, das sie einmal mutig vor einem Habicht gerettet hat. Und schließlich besitzt sie auch noch zwei Zicklein, die sie sich auf abenteuerliche Weise holt. Doch auch die Puppenkinder kommen bei Kari nicht zu kurz. Mit der kleinen Schwester Bassi erfindet sie lustige Puppenspiele. Und eines Tages kommt die größte Freude — ein Brüderchen!

Jeder Tag ist voll fröhlicher und spannender Kindererlebnisse, im Garten, im Wald und am Strand, aber auch in der großen Stadt.

Im nächsten Band erleben wir „Kari als Schulmädel".

**Für Mädchen ab 8 Jahren**

Bestell-Nr. 728

# Kari
# die kleine Tierfreundin

Erlebnisse mit ihren Lieblingen

von

PET BUGGE

NEUER JUGENDSCHRIFTEN-VERLAG
HANNOVER

Aus dem Norwegischen übersetzt und zum Teil umgearbeitet von A. Rausch-Hüger
Titel der Originalausgabe: Kari evakuerer © Verlag Aschehoug & Co., Oslo

ISBN 3-483-00728-8

Einbandbild: A. M. Kolnberger; Textzeichnungen: Herta Müller-Schönbrunn

Hersteller: Neuer Jugendschriften-Verlag, Hannover

INHALTSVERZEICHNIS

## „Graupelzchen" kommt ins Haus

Kari, so hieß das kleine Mädchen, das mit seinen Eltern auf Solbakken wohnte, einem schönen, weißen Hause weit draußen vor der Stadt. Ringsum gab es keine anderen Häuser und daher auch keine Kinder. Aber Kari brauchte auch keine Spielkameraden, denn sie hatte ja Bassi und Thyra. Bassi war die kleine vierjährige Schwester und Thyra der große Bernhardinerhund mit den klugen, gutmütigen Augen. Kari war sieben Jahre alt und Thyra erst sechs. Trotzdem war Thyra schon eine erwachsene Hundedame, die in jedem Jahr Junge bekam. Aber darauf bildete sich Thyra nichts ein. Den ganzen Tag lief sie hinter Kari her — oder auch Kari hinter Thyra.

So war es auch an diesem Morgen. Kari hatte eben ihre Frühstücksgrütze aufgegessen, als sie Thyra rufen hörte. Das Gebell kam aus dem Wald hinter dem Hause. Eigentlich durfte Kari nicht allein in den Wald, denn dort sollte es hin und wieder Leute geben, die nichts Gutes im Sinne hatten. Aber Thyra rief doch nach ihr! Rasch griff Kari nach ihrem Springseil und lief über den Hof.

Niemand war zu sehen. Drüben im Geflügelhof fütterte Mutter die Hühner, und die alte Anna wusch in der Küche das Geschirr ab. Weithin hörte man ihr Geklapper. Bassi war sicher dabei und half ihr, das heißt sie plantschte in ihrer kleinen Wanne mit Seifenwasser, das Anna ihr abgegeben hatte. Im Schuppen stand der Hausgehilfe Nils und hackte Holz. Es war ein herrlicher Frühlingstag und schon ziemlich warm. Kari schaute sich um, ob die Mutter es nicht sah, daß sie die Strümpfe herunterrollte.

„Wauwau!" rief Thyra abermals, und Kari hörte deutlich heraus, daß es heißen sollte: ‚Beeil' dich, Kari, hier gibt's was Aufregendes zu sehen!'

Kari warf das Springseil fort und rannte in den Wald. Was sollte schon passieren? Selbst wenn ihr eine Kreuzotter begegnete, würde Thyra schon dafür sorgen, daß sie ihrer lieben Freundin Kari nichts tat.

Die Hündin stand unter einem großen Eichenbaum. Heftig wedelnd blickte sie Kari entgegen und bellte unentwegt weiter.

„Wauwauwau!" Das hieß: ‚Sieh mal das eklige Tier da oben! Na warte, du Scheusal, ich werde dich schon kriegen!'

Kari sah hinauf. Auf einem Zweig direkt über ihrem Kopf saß ein armseliges junges Kätzchen mit hellgrauem, langhaarigem Fell und ganz blauen Augen, die angstvoll herabschauten. Kari schien es, als habe sie noch nie etwas so Hübsches gesehen.

„Pfui, schäm' dich, Thyra!" sagte sie. „Willst du wohl sofort aufhören, die liebe Pussi zu erschrecken?"

Thyra machte ein verlegenes Gesicht und war still.

Kari reckte sich auf die Zehenspitzen und griff nach der Katze. Doch da fauchte das kleine Tier und schlug mit den Krallen nach ihrer Hand.

„Komm, mein armes Kleines", sagte Kari beruhigend, „ich tu' dir nicht weh, ganz bestimmt nicht!"

Mit einiger Mühe und viel Geduld gelang es ihr endlich, das

Kätzchen herunterzuholen. Sie setzte sich auf einen Grashügel, bettete es in ihrem Schoß und baute aus ihrer Schürze ein Nest darum. Und als sie auch noch schützend ihre Arme um das Tierchen legte, wurde es ganz ruhig und fing an zu schnurren. Verwundert horchte Kari auf. Dieses Geräusch hatte sie noch nie gehört, denn auf Solbakken gab es keine Katze, weil der Vater befürchtete, Thyra werde sie umbringen. Aus irgendeinem Grunde konnte die Hündin Katzen nicht leiden. Sie war eben — das mußte man schon sagen — dann und wann ein bißchen komisch.

„Komm mal her, Thyra", sagte Kari. „Hör dir das an! Ob da vielleicht was kaputt ist in der Pussi?"

Aber Thyra war beleidigt und schaute in eine andere Richtung, um klarzumachen, daß sie dies alles hier nicht die Spur interessierte — die Kari nicht und die Katze noch weniger.

„Pfui, schäm' dich!" tadelte Kari streng. „Wie kann denn so eine wie du noch maulen, eine die schon sechs Jahre alt ist und Junge gehabt hat und so was! Komm sofort her!"

Es war merkwürdig — wenn Kari in diesem Ton mit ihr sprach, dann mußte Thyra einfach gehorchen, ob sie wollte oder nicht. Widerstrebend und mit saurer Miene kam sie angeschlendert und schnüffelte ein wenig an dem Kätzchen. Das hörte im gleichen Augenblick auf zu schnurren, krümmte den Rücken und fauchte. Darauf fletschte Thyra die großen, gelblichen Zähne und sah auf einmal richtig gefährlich aus. Mit einem einzigen Biß hätte sie dem kleinen Tier das Genick brechen können, und sie schien ernstlich zu überlegen, ob sie es nicht tun solle. Was konnte nur Kari an diesem elenden Stückchen Lebewesen finden? Die kleine Menschenfreundin war eben — das mußte man schon sagen — dann und wann ein bißchen komisch.

„Jetzt bitt' ich mir aber aus, daß ihr gute Freunde seid, aber gleich!" befahl Kari. „Du versprichst mir, daß du Pussi nie, nie, nie was Böses tun wirst, verstehst du, Thyra?"

Kein Zweifel, Thyra hatte verstanden. Aber es fiel ihr offensichtlich nicht leicht, die dicke, schwere Vorderpfote zu heben und sie Kari zur Bekräftigung des Versprechens zu geben.

„Das ist brav!" lobte Kari. „Ich weiß, daß ich mich auf dich verlassen kann." Mit dem Kätzchen auf dem Arm und der mit traurigen Hängeohren hinterhertrottenden Thyra machte sie sich auf den Heimweg. Weit war sie noch nicht gegangen, als sie den alten Nils traf.

„Was, hier treibst du dich herum?" fragte Nils mürrisch. „Deine Mutter sorgt sich schon um dich."

„Thyra hatte mich doch gerufen", entschuldigte sich Kari. Sie hatte völlig vergessen, daß sie sich hier auf verbotenem Gebiet befand und fügte strahlend hinzu: „Sieh mal, Nils, was ich gefunden habe!"

„Pfui Deubel!" sagte Nils. „Soll ich jetzt auch noch junge Katzen ersäufen? Ich hab' wohl noch nicht genug mit den jungen Hunden zu tun?"

Das war ein dunkler Punkt! Wo blieben eigentlich immer Thyras Kinder? Mindestens einmal im Jahr waren Kari und Thyra eine Zeitlang ganz verzweifelt, weil die Jungen auf unerklärliche Weise verschwanden, und es dauerte stets eine Weile, bis sie beide den Kummer wieder vergaßen.

„Wie meinst du denn das, Nils?" fragte Kari, und ihre Augen weiteten sich vor Schrecken.

„Hörst du? Deine Mutti ruft!" sagte Nils, ging rasch fort und verschwand im Holzschuppen.

Die Mutter war zuerst ein bißchen böse, aber nicht so sehr, und schließlich erlaubte sie sogar, daß Kari die Pussi behalten durfte, falls niemand kommen und sie als sein Eigentum abholen sollte. Viele Tage lang wurde nun Kari jedesmal bange, wenn sie einen Menschen den Weg zu ihrem Hause heraufkommen sah. Aber zum Glück gingen alle vorüber, und niemand schien eine kleine graue Katze zu vermissen.

Eines Tages erklärte Kari, ihr Kätzchen müsse nun auch einen richtigen Namen haben, nicht so einen gewöhnlichen wie Pussi oder Mieze, dazu sei es viel zu schön mit seinem silbergrauen Fell und den ungewöhnlichen blauen Augen. Nach langer Beratung mit der ganzen Familie wurde endlich der Vorschlag der Mutter angenommen und der Name „Graupelzchen" gewählt. Dafür durfte Mutter auch an der feierlichen Taufe teilnehmen.

Sie fand im Garten an dem großen Badebecken statt. Kari erinnerte sich noch ungefähr daran, wie es war, als Bassi getauft wurde, und so machte sie es fast ganz richtig. Es war nur dumm, daß sie der Pastor sein mußte und nicht gleichzeitig auch als Mutter auftreten konnte, die das Kind hielt. Diese verantwortungsvolle Aufgabe mußte sie Bassi überlassen, und die machte es natürlich ganz verkehrt.

Der Täufling hatte ein weißes Puppenkleid an und ein winziges Häubchen auf dem Kopf und sah aus wie eine kleine Katzenprinzessin. Aber entweder gefiel sich Graupelzchen in diesem Staat nicht, oder Bassi hielt das Tierchen ungeschickt, jedenfalls gerade in dem feierlichen Augenblick, als Kari mit der blauen Puppenterrine voll Wasser ankam, machte es einen Satz und wäre um ein Haar kopfüber ins Badebecken geplumpst. Dann versuchte es, trotz des hinderlichen Taufkleides auf den Kirschbaum zu klettern. Das sah so komisch aus, daß die Mutter, die die Taufgemeinde darstellte, hellauf lachte. Glücklicherweise gelang es ihr, das Kätzchen wieder einzufangen, und nun mußte sie es über das „Taufbecken" halten. Sie konnte das wenigstens richtig. Jetzt war allerdings Bassi beleidigt und bekundete dies mit lautstarkem Geheul. Daraufhin wurde sie zum Sängerchor ernannt, und unter dieser Musik erfolgte endlich die Taufe des Kindes auf den Namen „Graupelzchen".

Nils mußte zwei Kistchen zimmern. In das eine legte Kari ein Puppenkissen und eine Decke, das war das Bett, das andere wurde mit Sand gefüllt, den Kari jeden Tag ausleeren und mit frischem Sand versorgen mußte. Dieser Kasten war mindestens ebenso wichtig wie der erste, und Graupelzchen lernte rasch, ihn richtig zu gebrauchen.

In der ersten Woche verhielt sich Thyra noch ablehnend und blieb draußen in ihrer Hundehütte. Wenn Kari vorüberging, schaute sie sie aus so betrübten Augen an, daß ihre kleine Herrin ein ganz schlechtes Gewissen bekam. Und so beschloß sie eines Tages, mit Thyra einmal ein ernstes Wort zu sprechen. Sie legte die Arme um den Hals des Hundes und sagte:

„Du weißt doch, daß ich dich am allerliebsten habe, gleich hinter Vati und Mutti. Aber sieh mal, es ist doch niemand da, der sich um das kleine Graupelzchen kümmert. Sie ist ganz allein und hat sicher schreckliche Sehnsucht nach ihrer Mutti, da muß man doch gut zu ihr sein, meinst du nicht auch?"

Es war, als habe Thyra es verstanden, denn sie wurde wirklich etwas freundlicher gegenüber der neuen Hausgenossin. Mit der Zeit fing sie sogar an, sich für Graupelzchen zu interessieren. Sie beschnüffelte es, kugelte es vorsichtig mit der Pfote im Gras und beobachtete es aufmerksam. Das Kätzchen wurde allmählich dem Hund gegenüber ebenso zutraulich wie zu allen anderen im Hause. Am liebsten schlief es nun zwischen Thyras mächtigen Vorderbeinen, und die rührende Hündin lag unbeweglich und betrachtete das kleine Wesen. Es dauerte nicht lange, so war Graupelzchen die unumschränkte Herrscherin und bestimmte alles.

Wenn es den Rücken krümmte und damit unter der Schnauze des Hundes entlangstrich, so bedeutete das: Spiel mit mir! Dann nahm Thyra das Nackenfell der Katze vorsichtig zwischen die Zähne und ließ sie in der Luft schaukeln. Hatte sie genug von dem Spiel, fauchte sie leise, und sofort setzte der Hund sie behutsam auf den Boden zurück. Es kam schließlich so weit, daß Kari anfing, auf Graupelzchen eifersüchtig zu werden.

„Du hast mich wohl ganz vergessen, Thyra?" fragte sie eines Tages. „Du magst mich wohl gar nicht mehr? Na, dann kann ich ja mit Mutti verreisen und meine Kusine in Oslo besuchen. Dir geht's ja gut hier. Eine ganze Woche bleibe ich weg, das hast du davon — bäh!"

*

Kari bekam ein neues Kleid für die Reise, ein hübsches buntkariertes, und sie war sehr stolz darauf. Kurz bevor es losgehen sollte, lief sie noch einmal in den Garten, um mit Thyra ein kleines Abschiedsspiel zu machen. Oh, es war spannend, einmal von daheim wegzufahren! Aber Thyra, die zu ahnen schien, was bevorstand, machte so traurige Augen, daß Kari einen Kloß im Halse aufsteigen fühlte.

„Weißt du, es würde dir gar nicht gefallen in der Stadt", tröstete sie sich und den Hund. „Da müssen nämlich alle Hunde immer an der Leine gehen und dürfen nicht herumspringen, wie sie wollen. Und eine Masse Autos gibt es da und gefährliche Bahnen und Fahrräder und Polizei und alles so was."

Doch das schien Thyra nicht zu trösten. Sie stand da und schaute nur traurig drein. Da nahm Kari sie bei den Vorderpfoten, um sie mit einem Tänzchen aufzumuntern. Aber Thyra hatte irgendwie Pech. Eine Kralle rutschte dabei so unglücklich an dem schönen neuen Kleid herunter, daß ein langer Riß entstand. Ganz erschrocken blickten sie beide auf den Schaden. So sehr sich Kari auf die Reise gefreut hatte, so verleidet war sie ihr nun. Mutti würde böse sein und sagen, sie sei unartig, und Thyra würde auch Schelte bekommen. Ach, es war alles so schrecklich!

Sota, die große, schwarze Stute, die bereits vorgespannt war, sah Kari vorwurfsvoll an. Drin im Eßzimmer gab Bassi in voller Lautstärke ihrem Abschiedsschmerz Ausdruck, denn sie mußte daheim bei der alten Anna bleiben, und nun fing auch Kari an zu weinen. Thyra verkroch sich mit eingeklemmtem Schwanz in der Hundehütte.

Natürlich wurde die Mutter sehr ärgerlich. Sie hatte sich so abgehetzt, um mit allem fertig zu werden und nichts zu vergessen. „Kannst du denn niemals die Hündin in Frieden lassen?" schalt sie. „Ich werde dich in Zukunft ‚Kari ohne Kleidchen' nennen, denn es scheint ja nicht möglich zu sein, daß man dich hübsch anzieht. Alles mußt du gleich kaputtmachen!"

„Ich begreife auch nicht, was du an der Hündin hast", murmelte Anna kopfschüttelnd, während sie das Kleid stopfte. „Sie macht doch nichts als Unfug. Das wird ja ein feines Kleid, um damit nach Oslo zu fahren, wo die Leute nur in Samt und Seide gehen. Futtern kann die Kari wie ein ausgewachsener Mann, und reißt noch nagelneue Kleider entzwei wie ein ganz kleines Kind, so daß man aus dem Stopfen nicht herauskommt."

Manchmal konnte die alte Anna richtig eklig sein wie ein böser Geist. Eigentlich war Anna noch gar nicht alt. Sie wurde nur die „alte" Anna genannt zum Unterschied zur „neuen" Anna, die einmal wöchentlich zum Saubermachen kam.

Kari schluchzte herzbrechend, und Bassi machte mit, aus Kummer und Sympathie. Anna fing an, Psalme zu singen, laut und falsch. Das tat sie immer, wenn sie wütend war. Nun war endgültig alles verquer — ach, wenn doch bloß der Vater zu Hause wäre!

Plötzlich hopste Graupelzchen auf den Tisch und rieb seinen Rücken an Karis Gesicht, daß es knisterte. Das ging doch nicht, daß sie hier allesamt böse oder traurig waren!

„Meine Pussi! Meine Pussi!" rief Bassi, zog die Katze am Schwanz zu sich und hörte mit einem Schlag auf zu weinen.

„Na, nun sieht's ja nicht mehr ganz so schlimm aus", sagte Anna, während sie mit dem heißen Bügeleisen über den Stopfer strich. „Gut, daß das Kleid kariert ist."

Die Mutter wusch Kari das verweinte Gesicht, und gleich darauf saßen sie im Wagen. Während sie abfuhren zur nächsten Bahnstation, drehte sich die Mutter noch mehrmals um und rief zurück:

„Vergessen Sie nicht, die Türen abzuschließen, Anna! Geben Sie bitte den Küken immer pünktlich das Futter, und denken Sie dran, die Blumen zu gießen. Passen Sie ja auf, daß Bassi ihre Milch trinkt, und . . ." Sie wollte noch mehr rufen, aber da bog der Wagen in eine Kurve, und das weiße Haus war nicht mehr zu sehen.

## Puppe Clara kann sprechen

Kari war schon einmal in Oslo gewesen, aber damals war sie noch sehr klein, und so schien es ihr, als sähe sie heute alles zum erstenmal. Auf dem Hauptbahnhof wimmelte es von Menschen wie daheim im nächsten Dorf zur Kirmes. Plötzlich stand Tante Molla vor ihr, schlank und hübsch, und ihr blutroter Mund wurde beim Lachen ganz groß.

„Willkommen, ihr Lieben! Nein, wie du gewachsen bist, Kari! Karsten und Sössa werden dich gar nicht wiedererkennen."

Draußen stand ein großes, blaues Auto, und ein fürchterlich feiner Mann öffnete die Tür vor ihnen. Kari machte einen Knicks.

„Guten Morgen, Hansen!" sagte die Mutter — so getraute sie sich, mit ihm zu sprechen!

Der feine Mann fuhr den Wagen, und es ging wie der Blitz, Straße auf, Straße ab. Es war unbegreiflich, daß er so schnell den Weg finden konnte.

„Mir scheint, unsere Kari ist stumm geworden", sagte Tante Molla.

Kari senkte den Kopf vor Verlegenheit. Tante Mollas Augen lachten immerzu, und außerdem war sie so elegant. Heimlich faßte Kari nach ihrem Kleid — oh, wie weich das war! Der Wagen hatte inzwischen die Innenstadt verlassen und hielt nun vor einem schönen, modernen Haus, das in einem großen Garten lag. Ein Mädchen in schwarzem Kleid und mit einem weißen Häubchen auf den Locken öffnete die Tür. Es sah fast noch vornehmer aus als Tante Molla.

„Guten Morgen, Birgit!" sagte die Mutter. Also auch mit dem Fräulein wagte sie, so vertraulich zu sprechen!

Kari machte wiederum einen Knicks, gerade in dem Augenblick, als Vetter Karsten und Kusine Sössa angerannt kamen.

„Was, du machst einen Knicks vor Birgit?" rief Karsten und lachte. „Na, ich sag's ja, Landvolk ist eben höflich."

Kari erkannte ihn sofort wieder. Er war ein paar Jahre älter als sie, aber nicht ganz so groß und hatte ein lustiges Gesicht voller Sommersprossen und darüber einen dichten blonden Lockenschopf. Sössa war nur einige Monate älter als Kari, benahm sich aber fast wie eine Erwachsene und redete auch so. Ihre Augen entdeckten sofort den gestopften Riß in Karis Kleid.

„Du hast aber ein komisches Kleid an", sagte sie und zeigte auf den Stopfer, „so eine Mode trägt man in diesem Jahr gar nicht."

„Das hat Thyra gemacht", murmelte Kari unglücklich.

Sössa lachte hellauf. „Haha, hast du das gehört, Mutti? Kari sagt, Thyra hätte ihr Kleid gemacht."

„So meinte ich das doch nicht", rief Kari und wurde rot. „Mutti hat mein Kleid gemacht. Aber Thyra hat's zerrissen."

„Du, ich lerne jetzt reiten", berichtete Karsten, „das macht toll viel Spaß. Aber du kannst es sicher schon, ihr habt ja selber ein Pferd, nicht?"

„Sota ist eine Stute", verbesserte Kari ernsthaft, „aber sie ist nicht nett. Sie beißt in meine Beine, wenn ich drauf reiten will. Einmal hab' ich sie mit Zuckerstückchen an die Treppe gelockt und wollte von da auf ihren Rücken steigen. Aber die ist so frech, sag' ich dir. Erst hat sie den Zucker genommen, und dann hat sie nach meiner Hand geschnappt."

„Warum behaltet ihr denn so ein ekliges Pferd — so eine Stute?"

„Ach, sonst ist sie ja nicht böse, und bei Vati traut sie sich das überhaupt nicht. Und dann kriegen wir so niedliche Fohlen von ihr. Im vorigen Jahr hatten wir so ein hübsches, das hättest du sehen sollen! Hellgrau war es und das Fell ganz lockig, und lange, lange Beine hatte es. Aber die hätte es mal unter sich behalten sollen. Statt dessen hat es mit den Hinterbeinen immer — ffft — hoch in die Luft gekeilt. Wir hatten es ‚Laban' getauft."

„Hach, so ein Fohlen hätte ich schrecklich gern!" sagte Karsten mit einem Seufzer.

„Hast du nicht Lust, dir meine Puppen anzusehen?" fragte Sössa, die sich nicht für Tiere interessierte.

Kari nickte, und sie gingen hinauf ins Kinderzimmer. Dort saßen auf einem Sofa drei hübsche Puppenkinder.

„Das ist Marie, das ist Eva, und das ist Clara", stellte Sössa vor. „Mit Clara kannst du spielen, ich leihe sie dir, solange du hier bist, denn Mutti hat gesagt, ich soll nett zu dir sein."

Kari nahm die Puppe geradezu ehrfürchtig in den Arm. Doch da stieß Clara einen häßlichen Jammerton aus, so daß Kari sie vor Schreck beinahe hätte fallen lassen.

„Hörst du, sie hat Ma-ma gesagt, ganz deutlich!" sagte Sössa stolz. „Sie mag dich sicher nicht, darum hat es sich so ängstlich angehört."

„Clara ist genau wie Bassi", stellte Kari fest, „die brüllt auch gleich los, wenn sie was haben will und nicht kriegt. Thyra ist viel lieber."

„Ach, du bist ja komisch — du mit deinen Tieren!"

„Du bist noch viel komischer", gab Kari aufgebracht zurück, „ich glaub', du bist überhaupt kein bißchen nett."

Einen Augenblick schauten sich die beiden Mädel wütend in die Augen, dann wandte sich Sössa ab und fragte unvermittelt:

„Seid ihr reich? Wir sind sehr reich, das kannst du mir glauben."

„Das weiß ich nicht, ob wir reich sind", meinte Kari nach kurzem Überlegen, fügte dann aber eilig hinzu: „Aber wir sind bestimmt nicht arm." Denn arm sein, das war nach ihrer Meinung so wie die alte Rikka, die in einer kleinen Kammer hauste und schlecht roch, und die von Tür zu Tür ging, um Bänder und Knöpfe zu verkaufen. „Weißt du denn ganz genau, ob ihr reich seid?" fragte sie plötzlich erschrocken. „Anna hat nämlich gesagt, in der Bibel steht, daß ein Reicher schwerer in den Himmel kommt, als daß ein Kamel durch ein Nadelöhr geht."

„Na, so ein Quatsch!" sagte Sössa verächtlich. „Ich hab' im vorigen Herbst zwei Kamele im Zirkus gesehen, die waren ganz groß, beinahe wie Pferde. Wie kannst du so einen Quatsch glauben."

„Was in der Bibel steht ist kein Quatsch — du!" rief Kari empört.

„Ich frage mal meine Mutti", sagte Sössa und fuhr, ein wenig unsicher geworden, fort: „So ganz genau weiß ich natürlich nicht, ob wir reich sind. Auf jeden Fall ist der König noch viel reicher als wir."

„Ja aber — dann kämen ja die Prinzessinnen auch nicht in den Himmel", meinte Kari entsetzt.

„Siehst du, da kannst du gleich sehen, was du für einen Quatsch geredet hast. Das fehlte gerade noch, daß die Prinzessinnen nicht in den Himmel kämen. — Wie heißt eigentlich deine beste Freundin?" fragte Sössa im gleichen Atemzug.

„Ich hab' gar keine Freundin, denn ich kenne ja keine anderen Mädel. Manchmal kommen zwei aus der Bahnhofstraße zu uns herauf, aber die mag ich nicht. Sie haben Angst vor Thyra und denken immer bloß ans Essen. Sie klettern auf den einzigen Pflaumenbaum, den wir haben, und von dem wir nichts nehmen dürfen."

„Meine Freundin heißt Anna-Lise", sagte Sössa, „aber heute haben wir uns verkracht. Sie war so eklig zu mir, du glaubst gar nicht, wie. Mit so einer Klatschliese will ich überhaupt nicht mehr spielen."

„Pfui, klatschen ist gemein!" bestätigte Kari.

„Ja, nicht wahr?" Sössa nickte Kari zu und hakte sich plötzlich bei ihr ein. „Das sagen die andern in meiner Klasse auch."

Sössa ging schon seit dem vorigen Herbst in die Schule, Kari dagegen, die den weiten Weg zur Dorfschule noch nicht allein machen sollte, wurde von ihrer Mutter unterrichtet, die früher Lehrerin gewesen war.

*

Kari bewohnte mit der Mutter zusammen ein hübsches Zimmer mit hellgrünen Möbeln. Nachdem sie sich gewaschen und gemeinsam das Abendgebet gesprochen hatten, gab die Mutter ihrem Mädel den Gutenachtkuß. Doch es schlang die Arme um ihren Hals und wollte sie noch nicht loslassen.

„Glaubst du, daß Thyra Sehnsucht nach mir hat?" fragte sie mit weinerlicher Stimme.

„Ach, jetzt nicht mehr! Thyra schläft längst, und das mußt du nun auch tun, mein Kleines! Freust du dich denn gar nicht, daß du mit hierher fahren durftest? Vati kommt doch auch her, und er meinte, du würdest ihn gerne hier wiedersehen."

O ja, darauf freute sich Kari sehr. Aber dann war da noch etwas, das sie unbedingt klären mußte. Sie druckste ein bißchen herum, ehe sie die Frage herausbrachte:

„Du, Mutti, glaubst du, daß ein Kamel — weißt du, bloß so ein kleines — durch ein ganz riesengroßes Nadelöhr gehen kann?"

Die Mutter lachte. „Aber Liebling, wie kommst du denn auf so was?"

„Ja — ich meine nur — weil doch sonst die Prinzessinnen nicht in den Himmel kommen."

„Die kommen ganz bestimmt in den Himmel, wenn sie lieb und artig sind", versicherte die Mutter. „,Nadelöhr', so nannte man früher ein schmales Tor in Jerusalem. Es war schwierig, ein Kamel hindurchzutreiben, wenn es große Lasten auf dem Rücken trug. Man mußte sie ihm erst abnehmen, ehe es durch das Tor gehen konnte. Ich glaube, so ist das gemeint."

Erleichtert über diese Erklärung atmete Kari auf. Aber dann fügte sie noch hinzu: „Anna sagt, daß der liebe Gott die reichen Leute nicht leiden mag."

„Was Anna sagt, mußt du nicht alles wörtlich glauben", sagte die Mutter. „Denk' immer an das, was der Herr Jesus gesagt hat, daß alle kleinen Kinder zu ihm kommen sollten. Alle, so hat er gesagt, also die armen und die reichen. Er hat sogar nicht einmal gemeint, daß es nur die artigen Kinder sein sollten."

„Da muß aber der liebe Gott genauso lieb sein wie mein Vati", murmelte Kari.

„Noch viel lieber!" sagte die Mutter. „Aber nun mußt du schlafen."

„Nein, noch lieber als Vati kann keiner sein!" erklärte Kari mit Bestimmtheit. „Ich freu' mich ganz toll auf ihn."

*

Der folgende Tag war ein Sonntag. Es war richtig spannend, das Aufwachen in einem fremden Bett, einem fremden Zimmer und einer fremden, großen Stadt. Kari war früher wach geworden als die Mutter, saß aufrecht im Bett und schaute zu ihr hinüber. Wie anders sie aussah, wenn sie schlief. Kari schien es, als sei sie gar nicht ihre Mutti, sondern irgendeine schöne Dame mit braunem Haar und langen Wimpern, die auf den Wangen lagen. Nachdem sie sie eine Weile beobachtet hatte, wurde Kari auf einmal ein bißchen ängstlich zumute, so als ob es wirklich nicht ihre Mutti sei, die dort schlief. Es erschien ihr überhaupt alles so merkwürdig, und so huschte sie leise aus dem Bett und hinüber zu ihr und gab ihr einen Kuß. Da merkte sie, daß es doch ihre Mutti war, und augenblicklich war Kari wieder fröhlich.

Als sie aufgestanden und fertig angezogen waren, kam Birgit und brachte ein herrliches Frühstück mit vier verschiedenen Arten von Kuchen. Es war fast wie Weihnachten, es fehlten daran nur noch drei Sorten. Kari durfte bei der Mutter einen winzigen Schluck Kaffee mittrinken. Es war das erstemal, daß sie ihn probierte. Er schmeckte ihr gar nicht, aber sie kam sich so erwachsen vor.

Am Vormittag wollte die Mutter mit Tante Molla eine große Kirche in der Stadt besuchen, und Hansen sollte währenddessen mit den Kindern zum Schloß fahren. Kari wollte so schrecklich gern mal eine richtige lebende Prinzessin sehen, und Tante Molla meinte, es sei nicht unmöglich, daß sich um diese Zeit wirklich eine im Park aufhielte, denn die Prinzessinnen seien gerade bei ihren Großeltern zu Besuch.

In den Anlagen wimmelte es von Menschen auf allen Wegen, und der Waldboden war an manchen Stellen ganz weiß von Anemonen. Die Kinder sprangen aus dem Auto und liefen auf den Schloßpark zu. Karsten tat sehr überlegen. Er habe schon oft Prinzessinnen gesehen, sagte er und meinte, sie sähen genauso aus wie andere Mädel. Er ging in den Wald, um sich Zweige zu suchen, aus denen sich Flöten schnitzen ließen. Kari und Sössa aber wanderten am Zaun des Schloßparks entlang und guckten durch die Stäbe. Plötzlich stieß Sössa die Kusine an. Einen Gartenweg entlang kamen zwei hübsche kleine Mädchen mit einem großen Hund angelaufen. Ihnen folgte in einigem Abstand ihre Kinderfrau. Kari starrte ihnen entgegen. Die waren ja noch viel hübscher als auf dem Bild, das sie zu Hause in ihrem Kinderzimmer hängen hatte. Trotzdem war Kari im ersten Augenblick ein bißchen enttäuscht, denn im stillen hatte sie gehofft, die Prinzessinnen trügen Kronen auf den Köpfen wie im Märchenbuch.

Der Hund entdeckte die beiden kleinen Zaungäste, die am Gitter hochgeklettert waren und sich darüberweg beugten, und er bellte sie an. Kari streckte ihm die Hand entgegen und streichelte ihn, während Sössa rasch heruntersprang und zum Auto zurückrannte. Auch die Prinzessinnen starrten nun zu Kari hinüber, und dann — geschah etwas sehr Merkwürdiges: die kleinere von ihnen hob auf einmal die Hand ans Gesicht und — machte Kari eine lange Nase. Kari konnte sich nicht entsinnen, daß jemals einer so was zu ihr gemacht hatte, und ehe sie es sich versah, fuhr auch ihre Hand wie von selbst an die Nase. Erst hinterher merkte sie, was sie da getan hatte — und das zu einer lebendigen Prinzessin! Kari war so verwirrt, daß sie sofort kehrt machte und in wilder Hast hinter Sössa herstürzte und ins Auto flüchtete. Herr Hansen war heute nicht so vornehm wie sonst, er bog sich vor Lachen. Dann aber schüttelte er bedenklich den Kopf.

„Oh, Kari, Kari, ich fürchte, jetzt wirst du wegen Majestätsbeleidigung eingesperrt. Du kommst ins Gefängnis oder so was."

Die beiden Mädel bekamen einen furchtbaren Schreck und beschworen ihn, so schnell wie möglich nach Hause zu fahren. In jedem Wagen, der hinter ihnen herfuhr, glaubten sie, eine Polizeistreife zu erkennen. Aber Hansen war ein guter Fahrer, und so erreichten sie das Haus ohne weitere Ereignisse, außer daß ihnen eine Katze über den Weg lief, die sie beinahe überfahren hätten.

„Eine schwarze Katze!" murmelte Hansen düster. „Das bedeutet Unglück!"

Keines der beiden Mädel wagte es, von dem Erlebnis am Schloßpark zu erzählen. Es gab ein herrliches Mittagessen, aber Kari konnte es gar nicht richtig genießen.

„Du mußt mehr essen, Kari", munterte Tante Molla sie auf, „ich glaube fast, dir bekommt die Großstadtluft nicht. Hier, nimm noch ein Stück Kuchen!"

„Wir müssen uns was einfallen lassen, womit wir ihr einen Spaß machen können", schlug Onkel Hans vor. Er war lustig und dick und nicht sehr groß. „Wie wär's, wenn die Mädel heute nachmittag in die Welt-Lichtspiele gingen? Da gibt es einen netten Kinderfilm."

„Sie können doch nicht allein hingehen", erwiderte Tante

Molla, „Birgit hat ihren freien Nachmittag, Karsten ist eingeladen, und wir wollen ins Theater."

„Natürlich können sie allein hingehen", sagte Onkel Hans bestimmt. „Hansen fährt sie hin und holt sie ab, und im übrigen haben sie ja einen Mund zum Reden."

„Das fehlte auch noch!" entrüstete sich Sössa, „ich gehe ja schließlich jeden Tag allein in die Schule."

Sie bekamen also die Erlaubnis, ohne Begleitung das Kino zu besuchen, obwohl das Karis Mutter gar nicht geheuer war. Hansen brachte sie mit dem Wagen hin und besorgte die Eintrittskarten. Es war ein riesengroßes Kino, in dem unglaublich viele Menschen Platz hatten. Die Hauptrolle in dem Film spielte ein süßes kleines Mädchen, das Bibbi hieß und bestimmt nächst den Prinzessinnen das niedlichste Kind der Welt war. Und was Bibbi da alles erlebte und was sie alles konnte! Kari kam aus dem Staunen nicht heraus, und sie fand, daß der Film viel zu schnell zu Ende war.

Alles strömte dem Ausgang zu, und im Gedränge wurden Sössa und Kari voneinander getrennt. Zunächst beunruhigte es Kari nicht weiter. Sie würde die Kusine draußen schon wiederfinden, und außerdem stand dort ja Hansen und wartete auf sie.

Doch vor dem Eingang des Kinos herrschte ein fast noch dichteres Menschengewimmel, denn die einen wollten hinaus, die andern herein zur nächsten Vorstellung. Weder Hansen noch Sössa waren zu sehen. Jetzt bekam Kari Angst. Was sollte sie tun? Eine Weile lief sie hin und her und rief nach Sössa. Ein paar freche Bengel antworteten ihr mit quietschender Stimme: „Hier bin ich, mein Schatz!" War Sössa etwa nach Hause gegangen und hatte sie, Kari, allein in der fremden, großen Stadt zurückgelassen? Karis Augen füllten sich mit Tränen. In ihrer Verzweiflung rannte sie einfach auf den Fahrdamm und war mehrmals in Gefahr, unter die Räder zu kommen. Sie weinte und schluchzte laut, doch niemand von den vielen Leuten ringsum kümmerte sich um sie.

Plötzlich stand ein großer Mann vor ihr und nahm sie bei der Hand. Kari blickte auf, und der Schreck fuhr ihr in alle

Glieder: Es war ein Polizist! Der wollte sie nun bestimmt ins Gefängnis sperren. Vielleicht war er ihr schon den ganzen Tag gefolgt, aber er hatte sich nicht getraut, sie zu ergreifen, solange sie mit den anderen zusammen war. Doch nun stand sie allein vor ihm und war verloren. Im ersten Augenblick lähmte sie dieser Gedanke, doch dann gab er ihr neue Kraft. Sie riß sich von der Hand im weißen Handschuh los und stürzte sich wieder in den Straßenverkehr. Ein Auto hielt mit kreischenden Bremsen direkt vor ihr, und der Fahrer schimpfte und drohte mit der Faust. Viele andere Wagen mußten ebenso scharf bremsen, und im Nu war die Straße so verstopft, daß es Kari unmöglich war, durchzukommen. Schon war der Wachtmeister wieder neben ihr. Fest und energisch packte er ihre Hand und brachte sie zum Bürgersteig hinüber.

„Du brauchst doch keine Angst vor mir zu haben", sagte er freundlich, „ich will dir ja nur helfen. Hast du deine Mutti verloren?"

‚Das sagt er bloß, um mich auszuhorchen', dachte Kari.

„Wie heißt du denn, und wo wohnst du?" fragte der Polizist.

‚Das werde ich ihm auf keinen Fall verraten', dachte Kari und kniff den Mund so fest zusammen, daß er wie ein dünner Strich aussah. Aber dann fiel ihr ein, daß sie ja nun ins Gefängnis kam und vielleicht einsam und allein dort sterben müsse, denn Vati und Mutti wußten ja nichts davon, und die Tränen begannen wieder zu laufen.

„Kannst du überhaupt nicht reden?" fragte der Polizist ein bißchen ungeduldig.

Kari schüttelte den Kopf.

„Taubstumm also!" sagte er mitleidig. „Na, ich werde dich erst mal mit aufs Revier nehmen."

„Nein, nein, ich will nicht!" schrie Kari plötzlich und weinte laut auf.

Der Wachtmeister sah sie erstaunt an. Nun verstand er gar nichts mehr. Da hielt ein großer, blauer Wagen neben ihnen, und heraus sprang Hansen. Kari war so glücklich, daß sie ihre Arme um seinen Hals warf.

„Kennen Sie die Kleine?" fragte der Wachtmeister.

„Ja, natürlich", sagte Hansen, „sie wohnt doch bei uns. Sie ist vom Lande, das arme Ding, verstehen Sie? Ich wollte die Kinder vor den Welt-Lichtspielen erwarten, um sie abzuholen, aber ich hab' mich etwas verspätet, da war mir das Vögelchen entflohen. Anscheinend hat die Kleine da vor Schreck ein bißchen den Verstand verloren. — Na, komm, Kari!"

Hansen schob Kari ins Auto, und der Wachtmeister tat nichts, um das zu verhindern. Sicher gab es auch niemanden, der es wagte, mit Hansen einen Streit anzufangen, dachte Kari.

Im Wagen hockte Sössa und weinte. Doch als Kari zustieg, fuhr sie sie gleich an: „Warum bist du nicht bei mir geblieben? Warum hast du nicht vor dem Eingang gewartet? Warum bist du bloß immer so schrecklich dumm? Ach du, ich hab' ja solche Angst gehabt." Und plötzlich warf sie Kari die Arme um den Hals und küßte sie. „Ich hab' dich viel lieber als Anna-Lise, und nun warst du auf einmal wieder weg!"

Kari dachte an ganz was anderes. „Glauben Sie, daß er hinter mir hergekommen war, um mich einzusperren, Herr Hansen?" fragte sie, und ihre Stimme zitterte noch von dem überstandenen Schrecken.

„Einsperren? Dich?" fragte Hansen verständnislos zurück.

„Ja, wegen — wegen Majestätsbeleidigung!"

„Ach, du lieber Himmel!" Hansen lachte. „Das habe ich doch nur im Spaß gesagt, du Dummchen. Hast du das wirklich geglaubt?"

„Hm!" machte Kari verlegen, und dann sagte sie lange Zeit kein Wort mehr.

*

Für alle Schätze der Erde wäre Kari nicht mehr zu bewegen gewesen, allein in die Stadt zu gehen. Aber zusammen mit Mutti und Tante Molla machte es ihr Spaß, besonders an dem Nachmittag, als sie in einem großen Kaufhaus waren. Es war noch viel höher als der Kirchturm daheim, und die Treppen darin liefen von selbst nach oben. Tante Molla kaufte ein Kleid für Kari, weiß mit kleinen blauen Halbmonden darauf, und das weite Röckchen war mit lauter dichtgefalteten Stufen besetzt.

Das war lieb von Tante Molla. Kari mußte allerdings gleich daran denken, was wohl mit den Fältchen geschehen würde, wenn sie mit Thyra spielte.

Dann betraten sie einen „Fahrstuhl", wie die Mutter es nannte, aber es war kein Stuhl, sondern ein kleines Zimmer, das mit ihnen abwärts fuhr. Das gab so ein komisches Kitzeln im Magen. Im unteren Stockwerk aßen sie Kuchen und tranken Schokolade, um sie herum, an vielen kleinen, festlich gedeckten Tischen saßen Leute, die das auch taten, und an den Wänden hingen goldene Käfige, in denen Kanarienvögel zwitscherten und trillerten.

Zum Schluß bekam Kari — auch in dem gleichen Haus — die Haare geschnitten und frisiert, und als sie sich im Spiegel sah, kam sie sich fast ebenso fein vor wie eine Prinzessin. Sössa fand das auch.

Als sie heimkamen, gingen die beiden Mädel ins Kinderzimmer, um mit den Puppen zu spielen. Kari machte der Gedanke, sich bald von Clara wieder trennen zu müssen, richtig traurig, denn es schien ihr, daß die Puppe sie gar nicht mehr böse anschaute, sondern im Gegenteil ganz liebevoll. Und wenn sie „Ma—ma" sagte, klang es so, als meinte sie damit, daß Kari ihre Mama sein solle. Astrid-Margarethe daheim hatte längst nicht so ein feines, liebliches Gesicht wie Clara, und es ließ sich leider auch nicht übersehen, daß sie einen großen Riß im Kopf hatte, seitdem Bassi einmal aus Versehen draufgetreten war. Natürlich machte das gar nichts, eigentlich hatte Kari sogar ihre Astrid-Margarethe erst richtig lieb, seitdem sie das Loch im Kopf hatte und auch sonst hier und da ein bißchen krüppelig war. Trotzdem würde es ihr schwerfallen, von Clara wegzureisen, wahrscheinlich schwerer als von Sössa.

„Du kannst Clara mitnehmen, wenn du willst", sagte Sössa auf einmal, als habe sie Karis Gedanken erraten.

„Ja? Meinst du etwa, ich könnte Clara behalten? Für immer?" fragte Kari unsicher. „Verkohlst du mich auch nicht?"

„Nein, du kannst sie wirklich behalten", versicherte Sössa edelmütig, „ich kann ja eine neue Puppe kriegen, wenn ich Lust drauf habe." Und nach einer kleinen Pause fuhr sie ein bißchen stockend vor Verlegenheit fort: „Du, Kari — könnten wir beide nicht vielleicht Freundinnen sein?"

Kari war diese Frage etwas unangenehm, denn sie wußte nicht recht, was sie darauf antworten sollte. Eigentlich waren sie ja wirklich fast die ganze Zeit, seit Kari hier war, gute Freundinnen gewesen. Trotzdem antwortete sie zunächst einmal zögernd: „Du hast doch Anna-Lise!" Und in Gedanken fügte sie hinzu: ‚Und ich hab' Thyra!' Aber das sagte sie nicht laut, denn sonst hätte Sössa sie wieder ausgelacht.

„Anna-Lise ist lumpig! Seitdem du da bist, hockt sie dauernd mit der Betty zusammen und kümmert sich überhaupt nicht mehr um mich", sagte Sössa mit weinerlicher Stimme. „Willst du meine Freundin sein?"

„Ja, natürlich will ich!" sagte Kari, aber es klang nicht sehr begeistert.

„Weißt du, und dann schreiben wir uns immer, nicht?" schlug Sössa eifrig vor. „Das wird prima! Und wir schicken uns Filmbilder und so was..."

„Ich sammle nur Prinzessinnen!" erklärte Kari mit Bestimmtheit.

„Na, klar!" Sössa lachte. „Du bist ja beinahe mit ihnen befreundet. Ihr macht euch lange Nasen und . . ."

„Ach, hör auf damit!" rief Kari ärgerlich.

„Und ich besuche dich", fuhr Sössa unbeirrt fort, „und guck' mir alles an, was ihr habt — Tyra und Graupelzchen und Sota und Nils und alles. Du, das wird ein Spaß, was?"

Ja, sicher würde das ein Spaß. Kari bekam plötzlich solches Heimweh, daß sie am liebsten geweint hätte. Wüßte sie nicht, daß der Vater am nächsten Tag kommen sollte, sie wäre zur Mutter gelaufen und hätte sie angefleht, sofort nach Hause zu fahren. Es schien ihr mit einemmal, als gäbe es in der ganzen großen Stadt rein gar nichts von Bedeutung, und selbst Claras zierliches Puppengesicht war ihr wieder fremd und zuwider und sah aus, als lache es über sie. Womöglich wollte sie gar nicht auf dem Lande wohnen.

Am nächsten Tag kam der Vater. Kari durfte mit der Mutter zum Bahnhof fahren, um ihn abzuholen. Sie hatte das neue

Kleid an, und es war so blütenweiß, daß der Vater sie fast nicht wiedererkannt hätte. Ach, wie schön war es, ihn wiederzusehen — niemand auf der ganzen Welt war doch so wie Vati! Wenn man ihn in der Nähe hatte, war alles halb so schlimm. Dann war es einem ganz gleichgültig, ob man von den Stadtleuten ausgelacht wurde, die Sache mit dem Polizisten war im Nu vergessen und auch die mit der langen Nase zur Prinzessin. Ja, sogar an die schwierige Frage, ob man mit Sössa befreundet sein konnte, ohne Thyra zu enttäuschen, dachte Kari nicht mehr. Alles ordnete sich von selbst, sobald Vati da war.

Sie verlebten noch einen wunderschönen Tag zusammen, und dann ging es auf die Heimreise. Die Mutter packte die Koffer, und Kari mußte das karierte Kleid anziehen, das sie auf der Herfahrt angehabt hatte.

„Nun ist es wieder wie alltags" sagte sie mit einem Seufzer und betrachtete den gestopften Riß im Rock. Doch als der Vater ausrief:

„Na endlich, jetzt erkenne ich doch mein Mädel wieder!" da fand Kari, daß der Stopfer gerade nett aussah.

„Bring mal die Clara zurück, Kari!" sagte die Mutter, als alles reisefertig gepackt war.

„Die darf ich doch mitnehmen", erwiderte Kari froh, „Sössa hat sie mir geschenkt."

„Was für ein Unsinn!" rief die Mutter. „Sössa darf doch nicht einfach ihre teuren Puppen weggeben."

„Natürlich darf sie das, wenn sie will", widersprach Tante Molla, „nimm sie nur mit, Kari!"

Tante Molla und Sössa wollten sie zum Bahnhof begleiten, doch Sössa war plötzlich verschwunden. Birgit suchte und rief, aber vergebens. Hansen stand bereits mit dem Wagen vor der Tür. Erst als alle drinsaßen, kamen zwei Mädel die Straße entlanggerannt. Es waren Sössa und Anna-Lise.

„Fahrt ihr schon ab? Ach herrjeh, das hatte ich ja ganz vergessen. Na, auf Wiedersehn!" rief Sössa.

„Du solltest doch Kari an den Zug bringen", sagte Tante Molla.

„Ich hab' keine Lust", entgegnete Sössa. Kari bemerkte, daß sie und Anna-Lise einander zublinzelten.

„Na, was denn!" rief plötzlich Anna-Lise. „Deine Kusine will doch nicht etwa Clara mitnehmen?"

„Bist du verrückt? Gib die Clara her, aber sofort!" schrie daraufhin Sössa.

„Du hast sie mir doch geschenkt", rief Kari und wurde rot vor Zorn. „Ich hab' sie mir doch nicht genommen, du hast sie mir selber gegeben — jawohl!"

„Ach Quatsch, das hab' ich bloß aus Jux gesagt. Aber du bist ja so dumm, alles nimmst du ernst, alles glaubst du."

„Sössa!" rief Tante Molla, und ihre Augen blitzten vor Empörung. „Schämen solltest du dich! Du bist ein ganz böses Mädchen. Kari ist viel lieber als du. Du hast ihr Clara geschenkt, und nun wird sie sie auch behalten!"

„Will ich aber nicht!" schrie Kari außer sich. „Ich will deine Zierpuppe überhaupt nicht haben. Gib sie doch deiner Herzensfreundin, denn du hast es ja wohl auch nicht ernst gemeint, daß wir Freundinnen sein sollen. — Da!" Und damit warf sie die Puppe Anna-Lise an den Kopf. Clara versuchte, „Ma—ma" zu sagen, es kam aber nur ein klägliches „Miau" heraus. Sössa fing sie in der Luft auf, so daß kein Unglück geschah. Kari erschrak heftig, als ihr die Puppe aus der Hand flog. Himmel, wenn die Clara nun auch ein Loch in den hübschen Kopf bekommen hätte wie Astrid-Margarethe. Das arme Ding konnte doch nichts dafür, daß Sössa so ein Ekel war. Glücklicherweise ging es ja nochmal gut.

„Du solltest dich aber auch schämen, Kari", sagte die Mutter vorwurfsvoll.

„Pfui, was für ein abscheuliches Mädchen du bist, Sössa", schalt Tante Molla gleichzeitig.

Daraufhin brachen beide Mädel in ein herzzerbrechendes Weinen aus, während Anna-Lise um den Wagen herumging, die Nase in der Luft und den Mund gespitzt, als ob sie pfeife.

„Die hat mich angestiftet" schluchzte Sössa und zeigte auf Anna-Lise, „sei mir nicht böse, Kari!"

„Bin ich ja gar nicht", brachte Kari mühsam unter Tränen

heraus, „ich will bloß nach Hause! Ich will zu Thyra und Astrid-Margarethe! Die sind viel lieber als ihr."

„Willst du Clara nicht haben?"

„Nein, ich will keine andere Puppe haben als Astrid-Margarethe. Wenn ich Clara mitbringe, wird sie womöglich traurig, und Clara verkohlt sie, weil sie ein Loch im Kopf hat und ein Arm fehlt. Aber mir macht das gar nichts. Ich finde sie trotzdem viel hübscher als Clara, weil sie lieber ist."

So wurde es ein sehr bewegter Abschied. Sössa war vielleicht sogar die unglücklichere von beiden Mädchen, wie sie da so allein zurückblieb mit ihrer feinen Puppe im Arm, während Kari mit einem erleichterten Aufatmen versicherte:

„Hach — ich freu' mich ja so auf zu Hause! Und ich fahre nie mehr in die Stadt — nie, nie, nie!"

„Nun beruhige dich mal, mein kleines Mädel", sagte der Vater und streichelte das erhitzte Gesicht. „Bald sind wir zu Hause, und du sollst mal sehen, wie Thyra sich freut."

## Familie „Nadelkissen"

Die Bahnfahrt wollte kein Ende nehmen. Wieder und wieder hielt der Zug an einer Station, und Leute stiegen aus und ein. Die Mutter redete unentwegt davon, wie es wohl Bassi gehen mochte, und ob sie artig gewesen sei. Kari freute sich auch darauf, sie wiederzusehen, ja sogar auf die Stute Sota, obwohl sie manchmal böse die gelben Zähne bleckte. Am meisten aber sehnte sich Kari nach Thyra. Während der ganzen Bahnfahrt hielt sie Vaters Hand fest, und wenn er sie einmal brauchte, um die Zeitung umzublättern, griff Kari nach seinem Jackenärmel.

Endlich hatte der Zug den kleinen Bahnhof erreicht, wo sie aussteigen mußten. Da stand Nils mit Sota vor dem Wagen! Und da war Thyra! Sie wußte sich vor Freude nicht zu lassen, als sie die Familie wiedersah. Bellend sprang sie hoch in die

Luft, und dann rannte sie in großen Bogen um sie herum und heulte vor Glück. Das galt am meisten dem Vater. Kari wurde ein bißchen eifersüchtig, weil Thyra sich über ihn mehr freute als über sie. Aber dann fiel ihr ein, daß sie ja auch den Vater mehr liebte als Thyra, und so war alles in bester Ordnung.

Selbst Nils sah heute freundlich und vergnügt drein. Er drehte die Mütze in den Händen herum und zwinkerte mit dem einen gesunden Auge, das andere hatte er mal bei einem Unfall verloren.

„Bleiben Sie jetzt 'ne Weile zu Hause, Herr Ingenieur?" fragte er den Vater, „da wär' nämlich einiges zu erledigen auf Solbakken."

„Geht es allen gut?" fragte die Mutter. Ihr schien es, als sei sie eine Ewigkeit fortgewesen.

„Ja, Bassi war lieb wie ein Engelchen", versicherte Nils. Er hatte eine besondere Schwäche für die Jüngste. „Aber die Hühner waren nicht sehr fleißig mit dem Eierlegen, sagt Anna. Und dann sind dieser Tage die Bienen ausgeschwärmt. Aber ich hab' den Schwarm wieder eingefangen — oben im Apfelbaum mit den Gravensteinern —, ist also soweit in Ordnung. Bloß die Hündin, die Thyra, also die war ja rein wie verstört, hat nachts gejault und wollt' nix fressen. Man sollt's nicht glauben, was so ein Tier sich grämen kann um 'nen Verlust."

Nils schnalzte mit der Zunge und gab Sota eine kleine Aufmunterung mit der Peitsche. Die Stute tat, als ob sie beleidigt sei, stellte den Schweif auf und gab einen brummenden Laut von sich. Dann galoppierte sie ein kurzes Stück, ehe sie wieder in ihren gewohnten Zuckeltrab verfiel. Thyra umkreiste den Wagen, bellte und machte Riesensprünge, kurz, sie gebärdete sich wie ein ganz junger Hund.

Noch eine Wegbiegung, dann kam Solbakken in Sicht. Kari schien es, als sähe sie zum erstenmal, wie schön es war. Das weiße Haus lag hoch oben auf dem Hügel, umgeben von großen, alten Bäumen, und man hatte von dort einen weiten Blick über das Dorf bis hin zum Fjord, der felsigen Meeresbucht.

An der Tür stand die alte Anna und hielt Bassi an der Hand. Die Kleine war so frischgewaschen und mit Wasser gekämmt, daß sie geradezu glänzte. Vom Geflügelhof herüber klang das Gegacker der Hühner, und auf der Treppe saß Graupelzchen und leckte sich. Der kleine Kater kümmerte sich um die Menschen nicht sonderlich. Er tat ihnen nur die Ehre an, bei ihnen zu wohnen.

Kari, Bassi und Thyra machten zuerst eine große Runde, um mit allen Lieblingsspielplätzen Wiedersehen zu feiern. Kari genoß es richtig, die kleine, warme Patschhand des Schwesterchens zu halten. Noch nie zuvor hatte sie bemerkt, was für ein süßes Ding Bassi war. Keines der feinen, aufgeputzten Kinder in den Anlagen am Schloßpark war auch nur halb so niedlich wie sie.

Zuerst liefen sie zum Gänseteich.

„Paß gut auf die Bassi auf!" rief die Mutter durchs Fenster nach. Dabei war der Gänseteich so flach, daß man beim besten Willen nicht darin ertrinken konnte. Wäre der Grund nicht so morastig, könnte man sogar darin baden.

Am Ufer lief eine verzweifelte Henne laut gackernd hin und her, und auf dem Wasser schwammen sieben kleine, gelbe Daunenbällchen. Manchmal tunkte eins von ihnen unter und war für einen Augenblick verschwunden, oder es ließ nur den winzigen Pürzel über Wasser.

„Aaach-gottachgottachgott!" schrie die Hühnermutter dann verzweifelt, das hieß soviel wie: ‚Kommt an Land, Kinder, kommt an Land! Das ist ja so gefährlich. Ihr ertrinkt mir!' Es war rührend und komisch zugleich.

„Vati, Vati, komm mal schnell her!" rief Kari. „Die Entenküken sind ausgekrochen."

Der Vater war bei seinen Bienenkörben. Die Bienen waren seine Lieblinge. Er konnte mit ihnen machen, was er wollte, sie stachen ihn nicht. Kari dagegen hatte andere Erfahrungen gemacht. Sie war schon mehrmals gestochen worden und hatte darum Angst vor den Bienen. Es war ja nett von ihnen, daß sie Honig fabrizierten, aber im übrigen, fand Kari, waren sie recht garstige Geschöpfe.

„Sie gehören aber zu den klügsten, tapfersten und fleißigsten Tieren, die es gibt", sagte der Vater. „Wenn ich Zeit habe, werde ich euch ein hübsches Buch über Bienen vorlesen. Es heißt ‚Die Biene Maja und ihre Abenteuer‘. Ich glaube, dann wirst du die Bienen auch so gern haben wie ich, Kari."

Kari und Bassi liefen weiter und schauten, was es sonst noch Neues gäbe. Am Morellenbaum fanden sie zwei fast reife Sauerkirschen. Der Vater meinte, in einer Woche etwa würden alle richtig reif sein. Aber diese schmeckten auch schon sehr lecker — hmm!

Kari hatte sich noch längst nicht überall umgeguckt, da war es schon Abend. Die Entenküken kamen aus dem Wasser, und die Hühnermutter nahm sie glücklich unter ihre Flügel. Zwei Singdrosseln schmetterten um die Wette, wer es am besten konnte, und oben im Wald, direkt hinterm Haus, hatte sich ein Kuckuck niedergelassen. Kari merkte auf einmal, daß es vor allem der Kuckuck gewesen war, den sie in Oslo am meisten vermißt hatte. In den Parkanlagen hatte es wohl viele Vögel gegeben, die auch hübsch sangen, aber eben keinen Kuckuck. Und ihrer hier war sogar ein ganz besonders komischer Bursche. Er machte nicht einfach „Kuck-Kuck!", sondern „Ku-Kuu-Kuck!" Die alte Anna meinte, er sei vielleicht ein bißchen wirr im Kopf geworden, weil ihn jemand nachgeäfft hätte. Es war ja auch eine Gemeinheit, so was zu tun. Nun hatte der arme Kuckuck das Stottern gekriegt. Kari hatte selbst einmal einen Kuckuck nachgeahmt, aber damals wußte sie noch nicht, was das für Folgen haben konnte.

Die Mutter kam mit einer großen Schüssel voll belegter Brote auf die Veranda. Heute durften Kari und Bassi mit den Eltern Abendbrot essen, weil es der erste Abend war, an dem sie alle wieder beisammen waren. Danach sangen sie gemeinsam das Abendlied:

„Lieber Gott, wie gut geht's mir,
Lieber Gott, ich danke dir!
Allezeit behüte mich,
Lieber Gott, das bitt' ich dich!
Segne alle, groß und klein,
Segne auch die Eltern mein!"

Dann war es Zeit, schlafen zu gehen. Die alte Anna zog die Rollos im Kinderzimmer herab. Sie war heute so milde und freundlich, daß Kari sie umarmen und an sich drücken mußte.

Ach, es war doch herrlich, wieder im eigenen Bett zu liegen mit Astrid-Margarethe im Arm. Wie gut, daß Clara nicht mitgekommen war, es wäre doch unrecht gewesen Astrid-Margarethe gegenüber. Anna hatte inzwischen die ganzen Sachen von ihr gewaschen und geplättet und sie richtig hübsch gemacht. Kari tat es jetzt leid, daß sie manchmal so unartig zu der alten Anna gewesen war. So war das eben immer. Man mochte jemanden nicht leiden, weil er böse gewesen war, und plötzlich war derselbe Mensch so gut, daß man ihn doch liebhaben mußte. Es war doch recht schwierig, es immer recht zu machen, fand Kari, wieviel einfacher wäre es, wenn es nur Leute gäbe, die immer böse, und andere, die immer gut sind.

Am Kopfende von Karis Bett waren Schnörkel ausgesägt und in der Mitte zwei blaue Vögel. Es war schon zu dunkel im Zimmer, als daß Kari sie sehen konnte, aber ihre Hand fand sie, und ihre Finger streichelten die kleinen, hölzernen Figuren. Sie liebte die Vögelchen so, warum, das wußte sie nicht. Nicht einmal dem Vater hätte sie es erklären können. Es waren nämlich nicht einfach Vögel, sondern sie hatten etwas Heimliches, ja ein ganz bestimmtes Geheimnis, das nur sie kannte: Wenn sie sehr müde war und die Augen schloß, dann brauchte sie nur an die Vögel zu denken, und gleich schien es ihr, als höben sie die blauen Schwingen und glitten mit lautlosem Schlag hinüber ins Märchenland.

Auch heute erhoben sie sich. ‚Folg' uns!' hörte Kari sie leise zwitschern. Und sie folgte ihnen und war sehr glücklich!

*

Juni war es und nicht mehr lange hin bis zum Mittsommertag. Der Himmel war blau, und die Sonne strahlte heiß. Kari und Bassi liefen fast nackt herum, und jeden Tag erlebten sie etwas Besonderes. Eines Morgens sahen sie, daß Graupelzchen mit irgendetwas auf der Terrasse sehr beschäftigt war. Sie liefen hinzu und fanden ein merkwürdiges Wesen. Es war rund wie eine Kugel und voller Stacheln, so daß es aussah wie ein riesengroßes Nadelkissen. Aber obwohl weder Kopf noch Beine zu sehen waren, mußte es ein Tier sein, denn es bewegte sich. Der Kater schlug mit der Pfote danach, zog sie jedoch gleich wieder zurück, schüttelte sie und leckte daran.

„Vati!" rief Kari aufgeregt. „Komm mal her! Ganz schnell! Hier ist was Komisches!"

Der Vater kam sofort angelaufen. Wenn es galt, mit seinen Kindern ein Weltwunder zu bestaunen, hatte er immer Zeit.

„Das ist ein Igel", erklärte er, „der ist so mutig, daß er sich traut, die Kreuzottern vom Garten fernzuhalten."

„Kreuzotter is' schlimm", sagte Bassi ernsthaft, „Igel is' lieb!"

Anscheinend hatte das Igelchen verstanden, daß es gelobt wurde, denn in diesem Augenblick rollte es sich auseinander, steckte sein spitzes Schnäuzchen heraus, und seine kleinen, schwarzen Perlaugen blickten neugierig umher.

„Lauf rasch in die Küche und hole ein Schälchen Milch!" sagte der Vater.

Kari rannte zu Anna. Die gab ihr nur etwas von der abgerahmten Milch und meinte, für einen Igel sei sie gut genug. Aber Kari gelang es, heimlich noch ein bißchen aus der Sahnekanne dazuzuschütten. Das Schüsselchen wurde dem stachligen Gast vorgesetzt, der sofort anfing zu trinken. Der Kater schaute ein Weilchen zu, doch dann meinte er wohl, daß soviel Gastfreundschaft denn doch zu weit ginge, und er begann, auf der anderen Seite der Schale mitzutrinken. Ab und zu blickten die beiden Tiere sich an, als wollten sie feststellen, wer von ihnen das meiste abkriegte. Es dauerte nicht lange, und das Schüsselchen war leer. Befriedigt wackelte der kleine Igel auf seinen kurzen Beinen fort und verschwand unter dem Jasminstrauch.

„Es sollte mich wundern, wenn er dort nicht irgendwo seinen Bau hätte", sagte der Vater, „vielleicht kommt er bald mit vielen kleinen Jungen wieder."

Kari und Bassi suchten stundenlang nach dem Bau, bis Kari einmal zufällig gegen einen Baumstamm schlug. Da hörte sie ein zischendes Geräusch, so daß sie sich richtig erschrak, und dann ein leises, regelmäßiges Klopfen. Es klang wie ein Motorboot draußen auf dem Fjord: Tuck-tuck-tuck-tuck! Und da entdeckte Kari den Eingang zu dem Bau. Er lag gut versteckt unter einem Büschel Heu, das ihn wie eine Tür abschloß, so daß das Erdloch kaum zu sehen war. Sie fragte den Vater, ob sie das Heu wohl fortnehmen dürfe, um hineingucken zu können. Aber er meinte, sie solle den Igel lieber in Frieden lassen, sonst würde er ausziehen. Von nun ab setzte Kari täglich eine Schale mit Milch an diese Stelle.

Eines Morgens weckte Anna sie und sagte, sie solle rasch in den Garten laufen, da gäb's was Lustiges zu sehen. Kari rannte gleich im Nachthemd hinaus und Bassi hinterher. Da sahen sie einen wunderlichen Aufzug kommen: Voran trippelte die Igelmutter, und hinter ihr her liefen neun winzig kleine Igelkinder. So was Niedliches hatte Kari noch nie gesehen.

„Mutti! Vati!" schrie sie. „Kommt mal schnell her, aber ganz schnell! Aus dem Igelchen sind zehn geworden!"

Die Mutter brachte gleich eine große Schale voll Milch mit. Die Igelmama begann sofort zu trinken, und wahrhaftig versuchten es die Kleinen auch. Doch da erschien Graupelzchen. Energisch schob sie ein paar von den Igeljungen beiseite und nahm ihren Platz an der Milchschale ein. Auch Thyra gesellte sich dazu und beschnüffelte interessiert die ganze Familie. Doch nun rollte sich die Igelmutter zu einer Kugel zusammen, und augenblicklich taten die neun Kleinen dasselbe. Es sah so komisch aus, daß die Kinder sich schieflachen wollten. Der Vater befahl Thyra, wegzugehen. Sie war beleidigt, legte sich in ihre Hütte und tat, als ob sie schliefe. Aber am nächsten Morgen erwachte Kari von Thyras lautem Gebell, das in ein klägliches Jaulen überging. Als sie in den Garten kam, stand der Hund vor der Jasminhecke und schaute ihr schuldbewußt entgegen, die Schnauze mit Stacheln gespickt. Oh, das sollte wohl wehtun!

„Siehst du, Thyra, das kommt davon", sagte Kari vorwurfsvoll, während sie vorsichtig die stechenden Dinger herauszog, „wer nicht hören will, muß fühlen!"

Noch am gleichen Abend zog die Igelfamilie aus. Die Nachbarschaft schien ihr zu gefährlich zu sein. Kari vermutete, daß Mutter Igel mit ihren Kindern sich in dem großen Komposthaufen hinter der Scheune eine neue Wohnung eingerichtet hatte, denn hier begegnete ihr hin und wieder die Alte oder eins von den Jungen. Und so wurde von nun ab die Milchschale immer dorthin gestellt. Sie war am Morgen stets leer. Aber ob die Igelchen sie ausgetrunken hatten oder wer sonst, das war nicht ganz klar.

*

In der heißen Sommerzeit war ganz gewiß das Schönste auf Solbakken das große Wasserbecken im Garten. Die Mädel badeten jeden Tag, und der Vater brachte Kari das Schwimmen bei. Die Bewegungen konnte sie schon.

„Wenn du von einem Ende des Beckens bis zum andern kommst, ohne auch nur mit einem Zeh den Boden zu berühren, dann kannst du schwimmen", sagte er, und er versprach ihr, wenn sie erst so wie er im Wasser auf dem Rücken liegen könne, dann wolle er sie einmal ganz früh morgens mit zum Aussichtsturm hinaufnehmen, um die Sonne aufgehen zu sehen. Ach, es gab nichts Schöneres, als mit dem Vater allein durch den Wald zu gehen, aber leider getraute sich Kari immer noch nicht, sich im Wasser auf den Rücken zu legen. Jeden Tag nahm sie sich fest vor, es heute bestimmt zu versuchen, doch jedesmal wenn sie im Becken war, verschob sie diesen Entschluß wieder auf morgen.

„Laß dir Zeit", beruhigte sie der Vater, „der Aussichtsturm läuft uns nicht weg, und der Sommer ist noch lang."

Aber Kari schien es, als sei er doch ein bißchen enttäuscht über ihre Feigheit.

Eines Vormittags beobachtete sie Graupelzchen, das rund um das Schwimmbassin hinter einer Libelle herjagte. Gerade machte der Kater einen Luftsprung und hatte das Insekt schon fast mit den Pfoten erreicht, aber er war dabei dem Beckenrand zu nahe gekommen, und so stürzte er kopfüber ins Wasser. Kari rannte hin, um ihn zu retten. Doch zu ihrer Verwunderung sah sie, daß Graupelzchen ja schwimmen konnte. Es paddelte herum, als liefe es im Wasser, und dabei hatte es doch gar nicht schwimmen gelernt! Nur heraus konnte es nicht, der steinerne Rand war zu hoch. Kari mußte es auffischen. Oh, wie jämmerlich sah es aus mit seinem vom Wasser angeklebten Fell, ganz dünn und elend, als hätte es kaum Fleisch auf den Knochen, und es miaute kläglich. Aber von der mitfühlend herbeieilenden Thyra wollte es nichts wissen, sondern es sprang fort, legte sich auf der Terrasse in die Sonne und leckte sich trocken.

Nachdenklich und beschämt war Kari am Schwimmbecken zurückgeblieben. Sollte sie denn dümmer sein als Graupelzchen? Nein! Entschlossen zog sie ihr kurzes Spielhöschen aus, warf es hinter sich ins Gras und sprang ins Wasser. Es reichte ihr gerade bis zum Leib. Kari warf einen Blick zu der Steinfigur hinüber, die an der einen Seite des Beckens stand. Es war ein Zwerg, der offenbar ständig erkältet zu sein schien, denn das Wasser lief immerzu von seiner kleinen, dicken Knubbelnase herunter.

„Jetzt sollst du aber mal sehen, daß ich mich traue, alter Zwergen-Opa", rief sie ihm zu. Sie hatte wohl bemerkt, daß sein höhnisches Grinsen in letzter Zeit ihr gegolten hatte. Und schon warf sie sich auf den Rücken, breitete die Arme aus und wölbte die Brust nach oben, so wie es der Vater machte. Und siehe da, es war überhaupt nicht schwierig — sie schwamm wie ein Korken! Davor hatte sie nun so lange Zeit Angst gehabt!

„Vati! Vati!" rief sie glücklich. „Ich kann schwimmen — ganz richtig! Auf dem Rücken! Guck mal!"

Alle kamen sie angelaufen, Vater, Mutter, Thyra und Bassi. Jedem mußte Kari ihre neue Kunst vorführen.

„Mich auch schwümm'!" forderte Bassi.

Die Mutter zog ihr das Kleidchen aus, und Bassi kletterte ins Becken, splitternackt, dick und braungebrannt.

„Oh, hast du aber ein dickes Bäuchlein!" stellte Kari fest.

„Fein', dick' Bäuchlein!" bestätigte Bassi und klopfte darauf. Sie war stets zufrieden mit sich selbst. Doch aus ihrem ersten Schwimmversuch wurde nicht viel, denn als das Wasser ihrem Gesicht zu nahe kam, fing sie an zu schreien: „Nein — nich', nich'! Bassi vertrinkt!"

So blieb Kari die Heldin des Tages.

Als sie alle beim Abendbrot saßen, zwinkerte ihr der Vater heimlich zu, sagte dabei aber ganz harmlos: „Ich glaube, Kari, du mußt bald ins Bett gehen. Du siehst so müde aus." Sie hatten nämlich ausgemacht, daß niemand etwas von dem morgendlichen Spaziergang zum Aussichtsturm erfahren sollte.

## Kari hat ein Geheimnis und Thyra auch

Kari meinte, sie habe eben erst den Kopf auf das Kissen gelegt, als schon der Vater vor ihr stand und zart die Locken aus ihrer Stirn strich. Im Zimmer herrschte graue Dämmerung. Kari zwinkerte ein paarmal, ehe ihr wieder einfiel, was los war. Doch dann schlang sie die Arme um den Hals des Vaters und drückte ihn fest an sich. Er suchte ihre Sachen zusammen. Sie sollte sich ordentlich anziehen, auch Strümpfe und ein Kleid. Das hatte sie schon lange nicht mehr angehabt, doch der Vater meinte, so früh am Morgen sei es noch feucht und kalt.

Wie zwei Verschworene stahlen sie sich aus dem Haus. Im Vorgarten kam ihnen Thyra entgegen, begeistert schwanzwedelnd über diese unerwartete Unterbrechung der einförmig langen Nacht.

„Pst, nicht bellen!" flüsterte Kari.

So mußte Thyra sich damit begnügen, ausgelassene Freudensprünge zu vollführen, denn selbstverständlich wollte sie mitgehen.

Wie unwirklich sahen doch alle Dinge in dieser matten Beleuchtung aus. Kari schien es, als träume sie. Und kühl war es. Sie fröstelte.

„Jetzt laufen wir um die Wette!" schlug der Vater vor, und alle drei rannten los, bis sie den Wald erreichten, voran Kari, dann Thyra und zuletzt der Vater. Dann blieben sie stehen, sahen sich um und lauschten. Solbakken lag da, als schlafe es mit geschlossenen Augen. Die Vögel auf den Zweigen, ja die Bäume selbst schienen noch zu träumen. Es war, als seien Kari und ihr Vater die einzigen Menschen auf der Erde.

„Du, Vati", meinte Kari nachdenklich, „so muß das wohl gewesen sein, bevor der liebe Gott die Welt erschaffen hat, nicht?"

Der Vater nickte ihr lächelnd zu. „Ja, Kari, vielleicht ist es so gewesen."

Manchmal antwortet der Vater nicht so ganz bestimmt, dachte Kari verwundert, obwohl er doch der einzige war, der alles wußte.

Der Wald stand vor ihnen wie eine dunkle, geheimnisvolle Mauer. Aber Kari hatte keine Angst, sie hüpfte bei jedem Schritt vor Spannung und Freude. Ihre Hand lag in der warmen und starken Hand des Vaters — sie hatte ihn nun ganz für sich allein. Es gab auf der ganzen Welt nur sie beide und

Thyra! — Oder nicht? Versteckten sich in der Finsternis vielleicht noch andere Wesen?

„Vati, glaubst du, daß es in diesem Wald Wölfe gibt?"

„Nein, hier gibt's keine Wölfe, Kari."

„Aber wenn's nun doch welche gibt?"

„Bestimmt nicht, Kari! Als der letzte Wolf in dieser Gegend gesehen wurde, da war ich noch gar nicht geboren, und du erst recht nicht." Der Vater ahnte nicht, daß Kari sich wünschte, es möchten Wölfe da sein, ein ganzes Rudel, mit großen, gelben Reißzähnen, denn es gab ja nichts, wovor sie sich fürchtete, wenn sie mit dem Vater und Thyra zusammen war.

Sie kamen an den Waldsee. Aber es schien ein ganz anderer zu sein als der, den Karin am Tage im Sonnenschein schon oft gesehen hatte. Dieser lag still da und sah aus wie eine schwarze Glasplatte, und drüben, am anderen Ufer, flatterte sacht ein zarter, weißer Schleier.

„Vati, findest du nicht, daß das aussieht, als ob da Elfen tanzen?" fragte Kari leise. „Im Märchen wären das Elfen."

„Wer weiß!" antwortete der Vater ernsthaft. „Vielleicht sind es wirklich Elfen."

Kari drückte seine Hand. Sie war so glücklich, daß er sie nicht auslachte, sondern ihre Märchenstimmung teilte, daß ihr fast die Tränen kamen.

„Vielleicht sitzt ein Faun im Gebüsch und guckt den Elfen zu", fuhr der Vater fort, „und er hört, was wir reden und hat seinen Spaß dran."

Im gleichen Augenblick machte Thyra einen Sprung in ein Gebüsch und bellte kurz auf, daß es im Wald widerhallte. Kari bekam eine Gänsehaut vor Spannung.

„Was ist das, ein Faun?" fragte Kari, „Gibt's den wirklich oder nur im Märchen? Hast du schon mal einen Faun gesehen, Vati?"

Nein, eigentlich hatte der Vater selber noch keinen Faun gesehen, aber er hatte schon von Leuten gelesen, die ihn gesehen hatten. Das war in ganz alten Zeiten, als die Menschen noch besser verstanden, ihre Augen, Ohren und anderen Sinne zu gebrauchen als die heutigen, und so entdeckten sie noch viel Wunderliches in der Natur. Hoch oben in den Bergen, in einsamen Wäldern und Felsen hielten sich die Huldren auf, brave Mädchen, welche die Huldrenkühe hüteten und auf Flöten bliesen. Und im Felsgestein wohnten Riesen, so groß wie Tannenbäume. Im Fluß lebte der Neck, der Wassermann, der saß mitten im Wasserfall auf einem Stein und spielte in der Abenddämmerung lieblich die Geige. Aber sie alle waren Kari ja schon bekannt, meinte der Vater, aus ihrem Märchenbuch.

„Ja, aber erzähl' trotzdem weiter, Vati!" bat Kari. „Bei dir klingt's ganz anders und viel schöner."

„Ja, damals war der Wald noch dicht bevölkert mit solchen wunderlichen Wesen", berichtete der Vater weiter. „In den Hügeln hausten die Kobolde. Manchmal verliebten sie sich in ein Menschenmädchen und nahmen es zur Frau. Aber die Arme bereute es bald, denn wenn es auch viel Gold und Silber bei den Kobolden gab, so sehnt sich ein Menschenkind doch immer nach Sonne, Mond und Sternen und dem blauen Himmel. Doch das Mädchen durfte nie mehr zurück. Da waren die kleinen Zwerge nettere Wesen. Sie tummelten sich munter und fleißig in Stall und Scheune. Sie waren freundlich und halfen das Vieh zu besorgen, aber nur, wenn der Bauer und seine Familie gut zu ihnen waren und sich nach ihren Gewohnheiten richteten. Wenn man die Kleinen verärgerte, konnten sie viel Schabernack aushecken."

„Aber die Faune, Vati, wo wohnten die denn?" fragte Kari.

„Die gab es nicht in dieser Gegend, sondern ganz weit weg im Süden", sagte der Vater. „Das war in Griechenland. Da lebten noch viele andere merkwürdige Geschöpfe, kann ich dir sagen. Die Faune waren muntere Schelme voll lustiger Einfälle. Sie spielten gern auf einer Art Mundharmonika, die aus mehreren Flöten zusammengesetzt war. Wenn wir nach Hause kommen, zeige ich dir Bilder davon. Nach solcher Melodie tanzten die Elfen, die dort Nymphen hießen, über Wassern und Sümpfen bei Sonnenaufgang."

„Und was gab's noch für Märchenvolk im Süden?" fragte

Kari gespannt, während sie Hand in Hand mit dem Vater weiter durch den Wald ging.

„Ja, da gab es noch ganz merkwürdige Geschöpfe, die hießen Kentauren. Sie hatten Oberkörper wie Menschen und Unterkörper wie Pferde."

„Och — wie unbequem!" meinte Kari.

„Die waren aber sehr vergnügt und sprangen in der warmen Sonne herum", sagte der Vater. „Da ist es nämlich immer warm, mußt du wissen, auch im Winter. Und der allerlustigste war ein kleiner Schelmenjunge, den sie ‚Puck' nannten. Der konnte gar kein Ende finden, sich immer wieder neue Streiche auszudenken."

„Dann war er wohl noch schlimmer als die Zwerge?" fragte Kari.

„Ja, das kann wohl möglich sein", räumte der Vater ein, „der Puck ließ keine Gelegenheit aus, die Leute zu necken."

Sie waren inzwischen beim Aussichtsturm angekommen. Er war alt und grau und sehr hoch. So ähnlich mußte der Turm zu Babel ausgesehen haben, meinte Kari. Die Mutter hatte ihr nicht nur aus den Märchenbüchern, sondern auch schon manches aus der Bibel vorgelesen, und so wußte sie, daß damals die Menschen einen so hohen Turm bauen wollten, um damit den lieben Gott im Himmel zu erreichen. Aber der Turmbau zu Babel wurde niemals fertig.

Kari betrat mit dem Vater den Aussichtsturm. Die arme Thyra durfte leider nicht mitkommen, sondern mußte draußen bleiben und warten. Aber vielleicht tat sie das viel lieber, weil sie sich gar nichts aus dem Sonnenaufgang machte.

Langsam begannen sie, über die dunkle Steintreppe hinaufzusteigen. Der Vater ging voran, und wenn eine Stufe fehlte, so gab er Kari die Hand und half ihr weiter, obwohl sie meinte, daß das gar nicht nötig sei, sie könne wohl schon so große Schritte machen.

Endlich waren sie ganz oben angelangt. Hier war eine kleine Plattform mit einem Geländer rundum. Unter ihnen lag ein Meer von Baumwipfeln in vielen Schattierungen von grünen Farben. Dazwischen leuchtete das Dorf hervor wie ein rotes

Blumenbeet. Über kleinen Waldseen wogten noch weiße Nebelbällchen. Es war so still wie in Dornröschens Schloß, ehe der Prinz kam.

Über dem Langen Moor färbte sich der Himmel goldrot. Tief drinnen im Wald begann eine Drossel zu singen. Es klang noch ein wenig einsam und verschlafen. Doch im nächsten Augenblick antwortete eine andere, und dann war es plötzlich, als sei der ganze Wald erwacht. Es zwitscherte, trillerte und jubelte von allen Seiten.

„Als ob jeder Baum eine Stimme hätte, nicht, Vati?" meinte Kari.

„Da, schau!" rief der Vater und zeigte nach Osten.

Kari starrte wie gebannt zum Himmel. Gleich einem riesigen goldenen Wagen kam die Sonne über den Horizont emporgerollt. Kari verging fast der Atem. Oh, jetzt verstand sie es: Gott selber kam da in seiner goldenen Kutsche angefahren, um die Erde zu wecken. Wären ihre Augen von der blendenden Helligkeit nicht voller Tränen, könnte sie ihn gewiß sehen.

Der Vater sah ihn bestimmt, denn sein Gesicht hatte einen ganz fremden Ausdruck, so strahlend und verklärt. So ähnlich mußte Gott selbst aussehen, nur viel größer, heller und stiller.

Lange Zeit standen sie Hand in Hand und genossen schweigend das herrliche Schauspiel. Erst als der runde Sonnenball schon ein Stückchen am Himmel emporgestiegen war und seine Strahlen zu wärmen anfingen, und als sie Thyra ungeduldig bellen hörten, gingen sie langsam und vorsichtig über die alten, brüchigen Stufen hinab.

Es war ein ganz anderer Wald, durch den sie nun den Heimweg antraten, nicht mehr still, dunkel und geheimnisvoll, sondern voller Helligkeit und Leben. Es trällerte und zirpte, huschte, flatterte und raschelte überall, und als sie Solbakken erreichten, fing gerade der Hahn aus Leibeskräften zu krähen an. Auch er war sicher von Gott geweckt worden. Nur die Mutter und Bassi schliefen noch. Vielleicht kam der liebe Gott nicht in die Häuser hinein, überlegte Kari.

Der Vater zog ihr Kleid und Schuhe aus und legte sie ins Bett. Die Strümpfe vergaß er, und Kari war zu müde, um sie selber auszuziehen. Noch im Einschlafen hielt sie seine Hand fest und lächelte glücklich über das schöne Geheimnis, das sie beide nun miteinander hatten.

*

An einem der nächsten Tage hörte Kari, während sie auf dem Hofplatz Hopse spielte, zufällig ein Gespräch zwischen Anna und Nils mit an, die im Holzschuppen waren.

„Na, du hast ja wohl bald wieder Beschäftigung, Nils", sagte Anna und lachte. Kari schien es, als zeigte sich Anna stets von ihrer besten Seite, wenn sie sich mit Nils unterhielt. Dann konnte man glauben, sie sei aus purem Honig gemacht. Dabei konnte sie manchmal so heftig lospoltern, wenn die Mutter es nicht hörte. Aber zu anderer Zeit war sie auch wieder sehr freundlich und erzählte lange, spannende Geschichten von fürchterlichen Dingen, die sie selber oder ihre alte Mutter einmal erlebt hatten. Meist handelten sie von Bären, Wölfen, Gespenstern und so was. Eine von diesen Geschichten hatte

Kari mal ganz furchtbar erschreckt. Darin kam ein Toter vor, der nachts umging und rief. Hu, war das grausig! Kari träumte darauf jede Nacht, daß der Tote zu ihr käme, und sie schrie und wollte sich verstecken.

Die Mutter verstand nicht, was ihr fehlte, und ging mit ihr zum Doktor. Er verschrieb ihr eine bittre Medizin, aber die konnte natürlich nichts helfen. Kari wurde immer blasser und magerer. Eines Abends endlich versuchte Kari, ihrer Mutter den Traum zu erzählen, der sie so bedrückte. Das war sehr schwierig, denn es gab so vieles dabei, wofür ihr die Worte fehlten. Aber die Mutter verstand sie doch und erklärte ihr, daß das alles nur eine erfundene und ganz dumme Geschichte sei, die in Wirklichkeit gar nicht vorkommen könnte. Dann falteten sie und Kari die Hände und baten den lieben Gott, daß er den häßlichen Traum wegnehmen möge. In dieser Nacht konnte Kari wieder ruhig schlafen, und auch später kam der Traum nie wieder. Wie dumm von ihr, daß sie nicht selber darauf gekommen war, den lieben Gott um Hilfe zu bitten. Danach erzählte ihr die alte Anna nie mehr solche schrecklichen Sachen.

Nun stand sie im Schuppen, sammelte kleingehacktes Holz in ihre Schürze und unterhielt sich mit Nils. Er war alt und lahm. Vielleicht, so überlegte Kari, war er deshalb immer ein bißchen brummig und einsilbig.

„Was für 'ne Beschäftigung meinst du, Anna?" fragte er und schob seine Pfeife von einem Mundwinkel in den anderen.

„Na, du mußt doch wieder junge Hunde totmachen", sagte Anna, „das tust du doch so gerne, nicht?"

„Nee, verflixt!" erwiderte Nils ärgerlich. „Ich bin doch kein Schlächter. Auf den Job möcht' ich gern verzichten."

„Ach was, du bist 'n Kerl!" sagte Anna. „Du wirst das schon wieder bestens in Ordnung bringen."

Kari stand mäuschenstill. Neben ihr lag Thyra, dick und schwerfällig, und schaute ihre kleine Freundin aus betrübten Augen an. Gewiß hatte sie alles verstanden. Das war ja nicht zum Aushalten! Kari rannte zum Haus hinüber und gleich ins Arbeitszimmer des Vaters. Atemlos sprudelte sie heraus:

„Vati, weißt du, daß Nils Thyras Junge totmacht?"

„Nils oder ein anderer, das kommt wohl auf eins hinaus", entgegnete der Vater ruhig.

„Hast du ihm denn das erlaubt?" Sie schluchzte laut auf. „Aber Vati, wie kannst du denn so was erlauben!"

„Nun komm mal her, mein Kleines, und setz dich zu mir", sagte der Vater und zog Kari an sich. „Was denkst du denn, sollen wir mit all den vielen Jungen von Thyra tun? In den nächsten Tagen bekommt sie vielleicht wieder sieben oder acht. Wir können doch unmöglich neun Hunde auf Solbakken behalten. Wir müssen ja allein schon für Thyra fünfzig Kronen Steuer im Jahr bezahlen, und bedenke mal, wieviel Futter so eine Menge großer Hunde braucht. Wenn sie sich verkaufen ließen, könnte Thyra gerne ihre Jungen behalten. Aber es würde schon nicht leicht sein, für einen Hund einen Abnehmer zu finden, wieviel schwieriger für so viele. Ja, meine liebe kleine Kari, das Leben ist nun einmal hart, und es verlangt, daß man manchmal unbarmherzig ist — zu sich selbst und zu anderen. Sieh mal, Thyra ist ja kein Mensch. Sie grämt sich wohl ein paar Tage, aber dann vergißt sie den Kummer und spielt dann wieder genauso vergnügt mit dir wie sonst."

Aber Kari war nicht so schnell zu trösten. Sie schüttelte den Kopf, und während sie sich mit dem Handrücken die Augen wischte, meinte sie: „Nein, Vati, ich glaub' nicht, daß sie es vergißt. Hast du denn noch nicht gesehen, wie oft sie traurige Augen macht?"

„Doch, aber das hat wohl einen anderen Grund: Thyra hat schon etwas Rheuma in den Hinterbeinen, und das tut ihr weh."

Kari sagte nichts mehr dazu. Sie nickte nur und ging still hinaus. So sehr, wie sie sich darauf gefreut hatte, daß wieder junge Hunde kommen sollten, so sehr graute ihr jetzt davor.

Und dann waren sie eines Morgens da. Die alte Anna sagte es, und Kari rannte sofort hinunter in den Hof. Da lag Thyra in ihrer Hütte, ihre Augen strahlten, und sie wedelte heftig, als Kari zu ihr hereinschaute. Vier niedliche, braun und weiß gefleckte Hundchen krabbelten piepsend um sie herum.

Im Laufe des Tages aber waren plötzlich zwei davon verschwunden, ohne daß Thyra sie zu vermissen schien. Die beiden andern, so beschlossen die Eltern, dürfe Thyra vorläufig behalten. Kari war mindestens genauso glücklich wie der Hund. Nur etwas war ihr unverständlich: Thyra war gar nicht so besorgt um die Kleinen, wie sie es doch eigentlich hätte sein müssen, im Gegenteil sie lief manchmal einfach fort und verschwand für einige Zeit oben im Wald hinter dem Haus. Kari fand es empörend, daß sie ihre schreienden Kinder im Stich ließ. Allerdings war es auffallend, daß die Hündin stets darauf achtete, daß niemand auf dem Hof war, wenn sie losging.

Einmal aber beobachtete Kari doch, wie Thyra eben um die Ecke des Schuppens verschwand, und sie lief ihr nach. Thyra sah sich um und blieb stehen, als müßte sie erst überlegen, ob sie ihren Weg fortsetzen solle. Aber dann warf sie Kari einen freundlichen Blick zu, wedelte und trabte weiter. Das hieß offensichtlich: bitte schön, du darfst mitkommen!

Ein Stück weiter oben im Wald kamen sie zu einem dichten Erlengestrüpp. Thyra verschwand darin, und gleich darauf hörte Kari es darin fiepen und mauzen, geradeso wie daheim in der Hundehütte. Sie kroch hinter Thyra her ins Gebüsch, und wahrhaftig hatte sich die Hündin hier eine Art Lager gemacht, wo sie nun ihre beiden anderen Jungen zärtlich leckte und sie trinken ließ. Arme Thyra! Sie wußte aus bittrer Erfahrung, daß sie sich an den Jungen, die sie zu Hause hatte, nicht lange erfreuen durfte. Also war das kluge Tier so umsichtig gewesen, ihre Familie zu teilen. So bestand die Aussicht, wenigstens einige ihrer Kinder behalten zu können.

Natürlich verriet Kari ihre Entdeckung mit keinem Wort. Sie würde doch Thyra nicht verraten. Doch lange konnte es nicht ihr Geheimnis allein bleiben. Auch der Vater hatte das eigenartige Verhalten Thyras bemerkt und war ihr eines Tages gefolgt. Und so fand er das Versteck, das er schon lange vermutet hatte. Er kam zurück mit den beiden jungen Hunden auf dem Arm. Thyra folgte mit tiefgesenktem Kopf und hängenden Ohren.

„Meine arme Alte", sagte der Vater und klopfte die große Bernhardinerhündin, „ich glaube fast, ich sollte dir diesmal eins deiner Kinder lassen, nachdem du dich so darum bemüht hast."

Kari jubelte vor Glück und schlug ein Rad nach dem andern über den ganzen Hofplatz. Die Mutter machte sich zwar Sorgen um die hohen Steuern, die zwei Hunde kosten würden, aber dann meinte sie auch, daß es ihr doch zu leid um Thyra tun würde, wenn man sie wieder enttäuschte. Die alte Anna dagegen erklärte, zwei Hündinnen würden soviel Schaden anrichten, daß es nicht mehr zum Aushalten sein werde auf Solbakken, und deshalb ginge sie am nächsten Ersten. Aber da sie das schon oft gesagt hatte, nahm das niemand ernst.

Die Kinder durften auswählen, welcher der jungen Hunde der hübscheste und kräftigste war. Er sollte dann Bassi gehören, denn Thyra war ja Karis Hund, so daß nun jeder einen hatte. Thyras kleiner Sohn wurde „Thor" getauft. Er wuchs rasch und wurde immer hübscher und lustiger.

## Ein unterirdischer Gärtner?

Kari und Bassi vertrugen sich in diesem Sommer so gut wie noch nie. Früher hatte Kari oft gemeint, um die kleine Schwester werde allzuviel Wesens gemacht. Immer brüllte sie gleich bei jeder Gelegenheit, und ihr erlaubte die alte Anna alles. Sogar Karis Spielsachen durfte die Kleine nehmen.

„Kann das Kind doch wohl mal haben?" war Annas ständige Rede.

Auf diese Weise war auch das Unglück mit der Puppe Astrid-Margarethe zustande gekommen.

Aber seit Kari in Oslo gewesen war, sah sie die kleine Schwester mit anderen Augen an. Nun erst entdeckte sie, was für ein niedliches und liebenswertes Ding Bassi war mit ihrem Lockenkopf und dem pummeligen Figürchen. Die Beinchen waren zwar ein bißchen krumm, Bassi hatte sehr zeitig mit dem Laufen angefangen, aber das sah eigentlich gerade lustig aus. Und zimperlich war sie nicht die Spur. Niemals schrie sie, wenn sie sich wehtat, sondern nur, wenn sie wütend war.

Getreulich trippelte sie den ganzen Tag hinter Kari her, und Thyra trottete den beiden nach, sobald sie meinte, daß sie Thor mal für eine Weile allein lassen konnte. Ab und zu ging auch Graupelzchen mit, den Schwanz hoch in die Luft gereckt und mit wichtiger Miene. Es war eine große Gnade, die sie ihnen damit erwies, und das hatten sie, bitte sehr, auch anzuerkennen!

Die Himbeeren fingen eben an, reif zu werden. Bassi war ganz wild auf Himbeeren und futterte sie, ohne erst nachzusehen, ob vielleicht Maden drin waren. Kari ekelte sich davor, wie überhaupt vor allem, was krabbelte und kroch. Am scheußlichsten fand sie die großen, grünen Raupen, die oft auf den Kohlblättern saßen. Ein Schauer ging ihr über den Rücken, wenn sie sie nur sah.

Als Kari einmal den Vater im Küchengarten arbeiten sah, lief sie hinter ihm her und fragte: „Soll ich dir jäten helfen, Vati?"

„Augenblicklich jäte ich gar nicht, Kari", erwiderte der Vater, „sondern ich sammle die Larven von den Kohlblättern." Und wirklich hatte er gerade eine dicke, grüne Raupe in der Hand.

Kari wurde ganz übel bei dem Anblick. „Daß du die anfassen magst, Vati", sagte sie und schüttelte sich. „Das täte ich nicht, nicht mal für tausend Kronen."

„Die sind doch nicht gefährlich", sagte der Vater, „das sind ganz harmlose Wesen. Weißt du eigentlich, wie sie aussehen, wenn sie erwachsen sind? Ich glaube, dann hättest du gar nichts gegen sie einzuwenden und würdest sie ruhig anfassen."

„Nein, nie, nie!" wiederholte Kari bestimmt. Da flog vor ihrer Nase ein hübscher, großer Schmetterling vorüber. Er war weiß mit schwarzen Flecken auf den Flügeln. „Oh, Vati, sieh mal, der schöne Schmetterling!" rief Kari. „Hach, wenn man den doch mal fangen könnte! Ich möchte ihn mir mal ganz genau angucken."

„Ja, und denk mal, Kari, gerade dieser Schmetterling ist eine erwachsene Kohlraupe", erklärte der Vater.

Kari blickte ihn ungläubig an. Sonst war für sie alles wahr, was der Vater sagte, aber das konnte unmöglich stimmen.

Der Vater lächelte. „Das glaubst du nicht? Oh, ich sag' dir, Kari, man kann hundert Jahre alt werden und doch in der Natur alle Tage etwas Neues entdecken und sich darüber wundern oder sich daran freuen. Weißt du, was wir jetzt machen? Wir nehmen eine Larve mit ins Haus, verwahren sie dort und füttern sie mit Kohlblättern, damit du selber beobachten kannst, wie ein Schmetterling daraus wird. — Schau mal hier!" rief er plötzlich und bückte sich, wobei er auf eine langbeinige Spinne zeigte, die über das Kohlbeet lief. Sie schleppte eine runde, weiße Kugel, die viel größer war als sie selbst.

„Sie trägt ihr Ei fort", erklärte der Vater. „Wie anstrengend das für sie ist, nicht wahr? Aber sie würde es niemals fallenlassen, auch dann nicht, wenn es um ihr Leben ginge. Paß mal auf!" Er nahm einen kleinen Zweig und stocherte damit nahe der Spinne in der Erde. Sofort begann das Tier wie verstört hin- und herzulaufen, aber das Ei ließ es nicht los.

„Ist das nicht rührend?" meinte der Vater. „Selbst das einfachste Geschöpf ist bereit, für seine Jungen zu sterben."

Bassi kam angelaufen, hockte sich plötzlich auf die Erde und hob etwas auf.

„Guckt mal, was ich habe!" rief sie begeistert und schwenkte einen ungewöhnlich langen Regenwurm in ihrer schmutzigen kleinen Faust. Er ringelte sich hin und her, und Bassi lachte quiekend. „Ih, Würmchen kitzelt!"

„Du Ferkel! Schmeiß das sofort weg!" rief Kari, sprang einen Schritt zurück und hielt sich die Augen zu. „Pfui, ich faß' deine Hand nie mehr an."

„Würmchen is' lieb!" behauptete Bassi mit Bestimmtheit. „Kreuzotter schlimm — aber Würmchen lieb!"

„Bassi hat ganz recht", bestätigte der Vater, „der Regenwurm gehört zu den nützlichsten Wesen in der ganzen Natur, obwohl er so unscheinbar und bescheiden aussieht. Er sorgt nämlich für die gute, fruchtbare Erde, von der sich alle Pflanzen ernähren. Er gräbt kleine Kanäle in die Erde, durch die Luft und Wasser eindringen und die zarten Würzelchen sich ausbreiten können. Früh und spät ist er unterwegs, gräbt und pflügt, dreht und wendet den Boden, viel besser als der fleißigste Gärtner. Und in der Nacht wagt er sich an die Oberfläche und sammelt welke Blätter und sonstigen Abfall von Blumen und Gräsern auf, auch tote Tierkörper, kurzum alles, was so vom großen Eßtisch der Natur abfällt."

„Und was macht er mit all dem Zeug?" fragte Kari.

„Der Regenwurm frißt alles auf. Ist das nicht erstaunlich, wie sogar der Abfall im Haushalt der Natur noch nützliche Verwendung findet? Das bißchen, was der Regenwurm selber zum Leben braucht, behält er, das meiste gibt er als fertige Nahrung für die Pflanzen wieder von sich. So wachsen sie auf und werden wiederum zur Nahrung der Tiere, die von Pflanzen leben. Und die Blumen blühen und duften, die Wiesen sprühen von Leben, die Äcker werden golden von reifendem Korn und die Wälder grün und stattlich. Ja, wenn man's recht bedenkt, leben auch wir Menschen von dem Reichtum, den der kleine, unansehnliche Regenwurm geschaffen hat."

„Das ist ja eine richtige Geschichte vom Regenwurm", staunte Kari. „Und ich hab' immer gedacht, er wär' das ekligste, was es gibt. Dabei ist er das wichtigste."

„Nichts in der Natur ist wichtig oder unwichtig", erwiderte der Vater, „sondern eins ist abhängig vom andern, und das ist gerade das große Wunder."

Kari machte ein kleines Loch in die Erde, um dem Regenwurm den Heimweg zu erleichtern. Dabei geriet ihr ein merkwürdiges, gelbweißes Insekt mit braunem Kopf in die Hand.

„Ih, was ist denn das nun wieder?" rief sie und warf es fort.

Aber der Vater und Bassi kamen nicht dazu, es zu besichtigen, denn eine niedliche, kleine Bachstelze, die offenbar schon bereitgestanden und darauf gewartet hatte, hackte blitzschnell zu und flog mit ihrer Beute so dicht über Graupelzchens stolz aufgestellten Schwanz hinweg, daß sie ihn fast streifte. Der Kater machte einen Sprung danach, aber vergeblich, und so wandte er sich ab, als interessiere ihn der Vogel gar nicht. Wieder piepste es über ihm. Diesmal flog die Bachstelze direkt über Graupelzchens Kopf hinweg und setzte sich auf einen

Zweig des Kirschbaums. Der Kater duckte sich, machte sich ganz klein und begann, auf dem Bauch durch das Gras auf den Baum zuzukriechen. Die Bachstelze schien die Gefahr nicht zu bemerken, sie zwitscherte munter in die Gegend. Kari hob die Hände, um den Vogel durch Klatschen zu warnen, doch der Vater hielt sie fest und flüsterte:

„Laß sie nur! Die Bachstelze neckt unser Graupelzchen bloß."

Der Kater hatte inzwischen lautlos den Baum erklettert und den Ast erreicht, auf dem die Bachstelze saß. Jetzt machte er einen blitzschnellen Satz, und Kari fürchtete schon, er hätte sein Opfer erwischt. Das aber saß unbeschädigt auf einem anderen Zweig, und sein fröhliches Gezwitscher klang, als amüsiere sich das übermütige Vögelchen großartig. Immer wieder umflog es den Kater, mal höher, mal tiefer, und nur gerade außerhalb der Reichweite seiner Krallen. Ärgerlich mauzend gab Graupelzchen die Vogeljagd auf, und nun tat er Kari fast leid.

Doch gleich darauf sah sie, wie sich der kleine Kater an ein neues Wild heranschlich. Diesmal hatte er es auf Familie Star abgesehen, die mit ihren Kindern einen Ausflug machte.

„Das sind mir unverschämte Diebe, die Stare", sagte der Vater ärgerlich. „Im Frühjahr haben sie mir fast alle Zuckererbsen gestohlen, die ich ausgesät hatte. Da, sieh mal, Kari, nur ein paar haben gekeimt. Und nun warten die Stare schon darauf, daß die Sauerkirschen reif werden. Die mögen sie nämlich genauso gern wie ihr. Das Vergnügen werde ich ihnen aber versauern!"

Als Kari am nächsten Morgen zeitig mit Thyra in den Garten lief und nachsehen wollte, ob die Stare wirklich in den Schattenmorellen saßen, bekam sie einen fürchterlichen Schreck. Da oben hockte ein scheußlich aussehender Kerl. Sie stürzte zum Haus und schrie entsetzt nach dem Vater. Er kam sofort ans Fenster, um nachzusehen, was denn da los sei. Als sie aber zitternd nach dem Kirschbaum hinüberzeigte, lachte er hell auf.

„Aber Kari, du Dummchen, das ist doch eine Vogelscheuche. Erkennst du denn meinen alten, braunen Hut nicht wieder und den ausgedienten Fahrmantel? Ich wünschte bloß, die Vögel wären auch so leicht zu erschrecken wie du."

Kari schämte sich ein bißchen, doch obwohl sie jetzt wußte, was es war, traute sie sich nicht wieder in die Nähe des Baumes. Wenn es auch Vaters alte Sachen waren, wer wußte so genau, was drinsteckte? Bassi hatte es gut, sie dachte niemals darüber nach, was hinter oder in einer Sache war. Sie sah nur das Sichtbare, aß, was ihr schmeckte und nahm, was ihr gefiel. Manchmal dachte Kari, es merke vielleicht niemand außer ihr, daß hinter einigen Dingen etwas Heimliches, Unerklärliches stecke. In den einen war Gutes, in anderen Schlimmes. Zum Beispiel waren fast alle Bäume gut, aber oben im Wald gab es eine große Eiche, die war bestimmt böse, denn sie sah aus wie eine krumme alte Hexe.

Einmal war ein Junge kreidebleich auf den Hof von Solbakken gestürzt und hatte gebeten, telefonieren zu dürfen.

„Was ist passiert?" fragte der Vater.

Da berichtete der Junge, daß sein Freund von der großen Eiche heruntergefallen und bewußtlos liegengeblieben sei. Die Jungen hatten gewettet, wer am höchsten klettern könne. Aber der Baum war alt und trocken, und so war ein Zweig abgebrochen.

Ein Krankenauto kam in sausender Fahrt und holte den Jungen ab. Kari hätte ihn gern gesehen, aber sie traute sich nicht, hinzugehen, sie fürchtete, er könnte schreien, und das wollte sie nicht hören. So verbarg sie sich im Kinderzimmer. Sie hatte das Gefühl, als sei sie mit schuld an dem Unglück, denn sie hatte ja gewußt, daß die Eiche ein böser Baum war, aber sie hatte es niemandem gesagt. Später sagte ihr die Mutter, der Junge habe beide Beine gebrochen, er werde aber bald wieder ganz gesund sein. Darüber war Kari so froh, daß sie weinen mußte.

Eines Abends, als Kari und Bassi vom Herumtollen im Garten hereinkamen und ins Kinderzimmer gingen, mußten sie sich sehr wundern: Bassis Bett war aus dem Schlafzimmer der Eltern hierhergewandert und stand neben dem von Kari.

„Ist das nicht fein, Bassi?" fragte die Mutter beim Ausziehen.

„Nun bist du schon ein großes Mädchen und darfst mit Kari zusammen schlafen."

Bassi sah noch nicht gleich ein, wieso das fein sein sollte, und sie überlegte, ob das nicht eher ein Grund zum Weinen war. Aber dann fiel ihr ein, daß es vielleicht doch ganz lustig sein konnte, und sie krähte vergnügt wie ein kleiner Hahn.

Und wirklich, als sie beide in den Betten waren, ging ein übermütiges Treiben los. Sie hopsten auf den federnden Matratzen und warfen sich die Kissen zu. Endlich aber meinte Kari, daß sie ja jetzt die Große und Vernünftige sein müsse, und so schlug sie Bassi vor, sie wollten zusammen das Abendgebet sprechen, wie die Mutter es gelehrt hatte:

„Wenn ich abends schlafen geh',
Dreizehn Englein um mich steh'n:
Zwei zu meiner Linken,
Zwei zu meiner Rechten,
Zwei zu meinen Häupten,
Zwei zu meinen Füßen,
Zwei, die mich decken,
Zwei, die mich wecken,
Und dann ist noch ein',
Das führt mich ins Himmelreich hinein."

„Kari, was ist Himmelreich?" fragte Bassi und gähnte herzhaft.

„Himmelreich? Das ist da, wo der liebe Gott wohnt. Da kommen wir hin, wenn wir artig sind."

„Wo ist denn Himmelreich, Kari?"

„Na, da oben — in der Luft! Du weißt doch wohl, wo der Himmel ist, nicht?"

Bassi dachte eine Weile nach. Dann erklärte sie bestimmt: „Bassi hat aber nicht Lust, oben in der Luft zu sein, nee!"

Kari seufzte. Es war unmöglich, Bassi die höheren Dinge klarzumachen. Also sagte sie nichts mehr und hoffte, die kleine Schwester werde nun einschlafen. Doch da hörte sie schon wieder ihr Stimmchen:

„Kari, was sind Englein?"

„Englein, weißt du, das sind so niedliche Wesen", erklärte Kari, „die sind ganz lieb und haben weiße Kleider an und große Flügel, und die wohnen beim lieben Gott."

„Ja aber, du hast doch gesagt, Englein steh'n um mich rum. Bassi sieht keine Englein."

„Ach, die sind doch unsichtbar, Bassi. Nun mußt du aber schlafen."

Kari kuschelte sich in ihr Kissen und war im nächsten Augenblick selber eingeschlafen. Doch gleich darauf fuhr sie erschrocken hoch, denn Bassi stimmte ein lautes Geheul an.

Die Mutter kam eilig herein und machte Licht. „Was ist denn los, Bassi? Tut dir was weh?"

„Bassi hat Angst vor Englein", rief die Kleine schluchzend, „Bassi will bei Mami schlafen."

Nein, es war doch recht lästig, eine so dumme kleine Schwester zu haben, fand Kari.

## Der Storch flog übers Dach

Dann kam ein ganz besonderer Tag.

Schon am Morgen beim Aufwachen schien es Kari, als sollte sich heute etwas Ungewöhnliches ereignen. Die alte Anna, die den Kindern beim Waschen und Anziehen half, machte so ein feierliches Gesicht, als ob Besuch im Hause sei. Es waren aber keine Gäste da. Und dann sagte sie, Kari und Bassi müßten heute ganz brav und still sein, der Mutter sei nicht ganz wohl, und sie wolle noch ein bißchen ruhen. Sie durften nicht einmal zu ihr gehen, und das war sehr traurig. Sonst fehlte der Mutter nie etwas, vielmehr waren Kari oder Bassi hin und wieder mal erkältet oder krank, und dann brachte die Mutter ihnen Zitronensaft und las ihnen Märchen vor. Heute mußten sie mit dem Vater allein frühstücken, und auch er war anders als sonst.

„Hast du dir eigentlich mal wieder die Raupe angeguckt, die wir uns neulich aufgehoben haben, Kari?" fragte er.

„Nein!" Neugierig sprang Kari vom Tisch auf und lief zu dem Fensterbrett, wo die Kohlraupe seitdem wohlverwahrt unter der Käseglocke hauste. „Vati!" rief Kari erschrocken. „Die sieht ja so verändert aus. Die ist sicher tot."

„Nein, die ist nicht tot", erwiderte der Vater, „sie hat sich nur eingepuppt. Nun frißt sie nicht mehr, sondern schläft. Warte nur, bald wird ein schöner, weißer Schmetterling draus."

Aber das konnte Kari sich nicht vorstellen. Die Raupe sah so häßlich und steif aus, daß man sie gar nicht anschauen mochte.

Anna öffnete die Tür und fragte, ob sie noch nicht fertig seien. Sie hatte es so eilig mit dem Tischabdecken, daß sie einen Teller fallen ließ, der in Stücke ging. Der Vater hatte es wohl gesehen, er sagte aber nichts dazu, und Anna lächelte sogar, als sie die Scherben aufhob. Kari dachte ärgerlich, wenn es ihr passiert wäre oder Thyra, hätte es bestimmt Schelte gegeben. Beim Abwaschen sang Anna Psalme, daß es durchs ganze Haus schallte.

Es war wohl am besten, wenn man sich heute möglichst fernhielt, sagte sich Kari, nahm Astrid-Margarethe unter den Arm, Bassi bei der Hand, rief nach Thyra und Graupelzchen, und der ganze Zug setzte sich in Bewegung. Sie gingen durch den Garten bis obenhin, wo er an den Wald grenzte. Dort unter den Farnen wollten sie sich ein Haus bauen. Das würde ein wunderbares Spiel werden, denn die Farne waren jetzt so hoch, daß man fast aufrecht darunter stehen konnte. Und so schön halbdunkel und geheimnisvoll war es da.

Die Mädel hatten viel zu tun. Erst mußte ein Weg in das Farngestrüpp gebrochen werden, und dann sollte es ein großes Haus werden mit vielen Zimmern. Die Wände bestanden aus den breiten Fächern der Farne, die Kari geschickt miteinander verflocht. Das war ein herrliches Haus, und das Schönste daran war, daß einen kein Mensch sehen konnte. Auch Thyra schien es in dem schattigen Dickicht zu gefallen, sie lag ausgestreckt, den dicken, schweren Kopf auf die Vorderpfoten gestützt, und döste vor sich hin. Graupelzchen dagegen langweilte sich. Eine Zeitlang jagte er noch einem Schmetterling nach, der blau und gelb war wie die norwegische Flagge, aber dann stellte der Kater den Schwanz senkrecht und stolzierte zum Haus zurück.

Astrid-Margarethe war die Besitzerin des neuen Hauses. Sie sah ordentlich vornehm aus. In der dämmrigen Beleuchtung war der Sprung in ihrem Kopf gar nicht zu erkennen.

„Frau Astrid-Margarethe sagt, sie will essen", sagte Bassi. Sie und Karin waren das Hausmädchen und die Köchin der feinen Puppendame. „Bassi will auch essen!"

Auch Kari hatte nichts gegen ein Frühstücksbrot, und so lief sie zum Haus hinüber, um etwas zu holen. Auf dem Hof

blieb sie verwundert stehen. Da stand ja ein fremdes Auto! Wer mochte wohl gekommen sein? Und als sie in die Diele kam, ging eben die Tür zum Schlafzimmer der Eltern auf, und eine dicke Frau trat heraus. Sie machte ein strenges Gesicht und war ganz weiß gekleidet.

„Guten Morgen, Kari!" sagte sie. „Du bist doch wohl die Kari, wie? Mutti hat nach dir gefragt. Nun kannst du dich aber mal freuen. Da ist nämlich ein feiner, kleiner Puppenjunge auf Solbakken angekommen

Kari dachte, die Frau wolle nur einen Spaß mit ihr machen, denn was sollte das sonst heißen, es sei ein ‚Puppenjunge' angekommen? Doch im selben Augenblick hörte sie einen schwachen, jämmerlichen Laut aus dem Schlafzimmer dringen.

„Was war das?" fragte sie und wollte gleich hineinstürzen.

„Erst wasch' dich!" sagte die fremde Frau energisch und schob Karin in die Badestube. „Deine Mutter kriegt ja einen Schreck, wenn sie sieht, wie schmutzig du bist. Hast du denn noch nicht begriffen, daß eben der Storch hier gewesen ist und einen kleinen Bruder gebracht hat? Vor einer halben Stunde ist der Storch übers Haus geflogen. Hast du ihn nicht gesehen?"

Kari warf der Frau einen ärgerlichen Blick zu. So ein Baby war sie doch nicht mehr, daß man ihr die dumme Geschichte von dem Storch aufbinden konnte, der die kleinen Kinder bringt und die Mutter ins Bein beißt. Außerdem gab's in Norwegen gar keine Störche, Kari hatte nur davon gehört, daß es in Dänemark welche geben sollte und in wärmeren Ländern. Hier hätten es schon Möwen sein müssen oder Elstern, denn die gab es massenhaft. Aber auch sie hatte man noch nie mit einem Baby im Schnabel fliegen sehen.

„Na, dann geh mal hin und guck's dir an!" sagte die Frau und öffnete die Tür zum Schlafzimmer.

Der Vater trat Kari entgegen und nahm sie bei der Hand. Sein Gesicht strahlte. Die Mutter lag im Bett und sah so blaß aus, wie Kari sie noch nie gesehen hatte, aber auch sie lächelte, in ihrem Arm hielt sie ein kleines rosa Bündel.

„Jetzt sollst du mal was Niedliches sehen, Kari", sagte sie und hob einen Zipfel ihrer Decke hoch. Da lag ein winzig kleines Kind mit rotem, runzligem Gesicht und schwarzem Haar. Ein rosenrotes Fäustchen fuhr in der Luft hin und her, und ab und zu gab das kleine Wesen einen kläglich quarrenden Laut von sich. Es war ein richtiges, lebendiges Kind. Kari konnte es gar nicht fassen, ihr war ganz feierlich zumute. Das war ja fast wie Weihnachten! Mit einem Finger berührte sie vorsichtig die zuckende kleine Faust, und wahrhaftig griff sie zu und hielt Karis Finger fest.

„Bleibt das nun immer bei uns?" fragte sie.

„Das wollen wir doch hoffen", sagte der Vater, „da soll ein großer, kräftiger Junge draus werden."

„Danke!" sagte Kari leise. „Vielen Dank!"

Alle lachten. Nur die Mutter zog Kari an sich, küßte sie und sagte: „Mein, liebes, liebes Mädel!"

*

Kari lief hinaus in den Garten, um Bassi die große Neuigkeit zu erzählen. Bassi hatte sich aus einem Blatt ein Schiffchen gemacht und ließ es im Wasserbecken schwimmen. Als Reisenden hatte sie eine große, schwarze Ameise daraufgesetzt. Kari hätte sie nicht anfassen mögen, aber Bassi war ja nicht so empfindlich. Sie ließ das Boot am Beckenrand landen, nahm die Ameise auf die Hand und sagte zu ihr:

„Augen zu — Mund auf! Du kriegst was Feines!"

Und dann hielt sie dem Tierchen ihr Butterbrot hin.

„Bassi, komm schnell rein!" rief Kari. „Du kriegst auch was Feines — aber zu sehen!"

Neugierig sprang Bassi auf, und in der Hast ließ sie Brot und Ameise ins Wasser fallen.

„Pfui, schäm dich, die ertrinkt ja!" sagte Kari, die nie mit ansehen konnte, daß einem Tier etwas zuleide geschah. Selbst wenn eine Fliege ins Milchglas fiel, oder eine Wespe im Marmeladentopf Selbstmord beging, gab Kari nicht eher Ruhe, bis die Verunglückte herausgefischt war und zum Trocknen in der Sonne lag. Und so überwand sie auch jetzt ihren Abscheu vor der Ameise und angelte sie vorsichtig mit dem Blatt aus dem Wasser.

„Was gibt's denn Feines?" fragte Bassi.

„Du hast ein Brüderchen bekommen. Freust du dich?"

„Och — wozu?" entgegnete die Kleine enttäuscht. „Was soll'n wir damit?"

„Na du, nun freu dich aber mal!" befahl Kari entrüstet. „Los — komm rein!"

Als Bassi vor dem Bett der Mutter stand, betrachtete sie eine Weile das kleine Wunder, dann schüttelte sie den Kopf und meinte: „Brüderchen is' nich' schön. So rot und häßlich! Das schicken wir zurück!"

Kari war drauf und dran, auf die kleine Schwester loszugehen und ihr eins zu versetzen. Doch die Mutter lächelte und sagte:

„Mit der Zeit wird es dir schon gefallen."

Aber Bassi wurde doch nicht so recht froh über den Kleinen. Sie merkte nämlich bald, daß sich alle nun viel mehr um ihn kümmerten als um sie.

„Brüderchen ißt Mami auf!" rief sie eines Tages entsetzt, als sie ihn an der Brust der Mutter trinken sah.

„Das hast du auch gemacht, als du klein warst", erklärte Kari, die sich auf diesen Anblick noch besinnen konnte. Aber Bassi stritt das entschieden ab. Eine solche Beschuldigung wollte sie nicht auf sich sitzen lassen.

Abends machte Kari einen Spaziergang mit dem Vater. Sie gingen durch den Wald an einem Graben entlang, wo Trollblumen, Sumpfdotterblumen und Kresse wucherten. Es duftete süß nach Honig, und die Bienen summten. Eine dicke Hummel flog mit lautem Gebrumm an Karis Nase vorbei, hielt plötzlich in der Luft inne und kehrte dann rasch um, als sei ihr etwas furchtbar Wichtiges eingefallen, das sie vergessen hatte. Die Mücken tanzten mit hellem Sirren auf und ab, und oben am Abhang sang ein Vögelchen zart und wehmütig. Es war so schön, daß Kari die Hand des Vaters ganz fest drücken mußte.

„Vati, wo war denn Brüderchen, bevor es zu uns kam?" Diese Frage lag Kari schon lange auf dem Herzen, aber sie hatte bisher noch keine Gelegenheit gehabt, den Vater zu fragen. Und an die andern mochte sie sich nicht mit Dingen wenden, über die sie nachdachte. Die lachten ja bloß darüber oder erzählten einem Märchen. Aber der Vater würde das nicht tun.

„Ach, mein Kind, es gibt so vieles, was wir nicht wissen", sagte der Vater, „weder wo wir herkommen, noch wo wir hingehen, und ich meine, wir sollten auch nicht so viel darüber nachdenken. Wir wissen das, was für uns wichtig ist, nämlich, daß wir gerade jetzt hier sind auf dieser herrlichen Erde. Und wenn wir gut sind zueinander, so wie Gott will, daß wir sein sollen, dann werden wir glücklich und machen andere glücklich. Mehr brauchen wir nicht zu wissen, meinst du nicht?"

„Ja aber — es ist so schwer, immer zu wissen, was Gott will, das wir tun sollen", sagte Kari, „du weißt das natürlich, Vati."

„O nein, ich weiß das auch nicht immer", erwiderte der Vater, „aber ich versuche, es zu erlauschen, und oft höre ich seine Stimme, wenn ich es am wenigsten erwartet habe. Man muß sich nur bemühen, ganz still zu sein, dann sagt uns Gott, was wir tun sollen und was nicht. Und genauso zuversichtlich, wie du jetzt deine kleine Hand in meine legst, wirst du sie später in Gottes große Hand legen und ihm vertrauen, wie du mir vertraust."

Kari nickte ernsthaft, und nachdem sie eine Weile schweigend weitergegangen waren, fielen ihr andere Fragen ein. Oh, es gab ja so viel zu fragen — nach all den Wundern, die am Wege wuchsen und blühten, huschten und flatterten, und der Vater wußte so spannend zu erzählen. Er kannte die Blumennamen und die Vogelstimmen, und wenn Kari sich auch nicht viel davon merkte, so genoß sie es, auf jedes „Warum" und „Was ist" die gute, warme Stimme des Vaters antworten zu hören.

Als sie nach Solbakken zurückkamen, hörten sie vom Hof her Bassi laut und angstvoll schreien. Und dann sahen sie Anna aus der Küchentür stürzen, wobei sie ihre Schürze schwenkte und schimpfte.

„Pah, das ist ja bloß der Hahn", sagte Kari, „der kann Bassi nicht leiden, weil sie ihm mal ein paar Schwanzfedern ausgerissen hat."

Bassi rannte um ihr Leben, immer rund um die Treppe zum Heuboden, und der Hahn hinterher, bis Anna hinzugelaufen war, die Kleine in ihren Armen auffing und dem Hahn einen Tritt gab.

„Du Scheusal!" rief sie. „Morgen kommst du in den Suppentopf, oder ich bleib' keinen Tag länger hier auf dem Hof. So was hab' ich noch nicht erlebt, daß ein Hahn so bösartig sein kann, und noch dazu zu unserm lieben Kind." Sie streichelte Bassi tröstend, und schon war die Kleine wieder obenauf.

„Jetzt kriegen wir Hahn!" rief sie von ihrem sicheren Platz

auf Annas Arm herunter. „Hahn is' schlimm! Hahn muß Rute haben!"

„Bassi kommt mit zu Anna in die Küche", sagte Anna, „den Hahn kriegen wir morgen."

Und wirklich mußte Nils am nächsten Morgen dem Hahn den Kopf abschlagen. Als Kari auf den Hof kam, hing der stolze Vogel kopflos an der Scheunentür, groß und prächtig, mit seinen glänzenden gelben, braunen und roten Federn. Gewiß, er war nicht gut gewesen, Kari hatte sogar manchmal gefürchtet, er werde die Hühner umbringen, aber schön war er doch und ein kühner Herrscher. Und nun hing er dort, ganz still, und war tot. Wo war nun der wirkliche Hahn, der frühmorgens als erster wach war und die Sonne mit seinem lauten Krähen begrüßte? War er im Himmel? Kari fühlte einen Klumpen im Halse aufsteigen. Aber es durfte natürlich niemand sehen, daß sie wegen eines geschlachteten Hahns weinen wollte. Die alte Anna würde sie schön auslachen. Also klemmte sich Kari ihre Astrid-Margarethe unter den Arm und lief hinauf zum Wald. Ausnahmsweise folgte Thyra ihr heute nicht, weil sie gerade mit ihrem Sohn Thor in der Küche war und frühstückte.

## Kari klein — ging allein . . .

Ganz in ihre Gedanken versunken lief Kari weiter und weiter. Die Welt erschien ihr plötzlich so unfaßbar groß und fremd. Da zündete also der liebe Gott ein Flämmchen an und — schwupp — war ein Brüderchen da. Oder der liebe Gott löschte ein Flämmchen — und ein Hahn war tot; das wirkliche Brüderchen natürlich und der wirkliche Hahn, die ganz innen drin in ihren Körpern saßen. Selbstverständlich war das Brüderchen aus dem Paradies gekommen, das war Kari vollkommen klar, denn das hatte sie in ihrem Bilderbuch gesehen. Da gab es nämlich solche süßen, kleinen, pummeligen Englein, die auf weißen Wolken saßen und, die Lockenköpfchen auf die Arme gestützt, zur Erde hinunterschauten. Vielleicht hatte der kleine Bruder auch so dagesessen und auf Solbakken hinabgeguckt und sich überlegt, ob es da wohl schön sein mochte, und dann entschloß er sich, dort zu wohnen.

Und der Hahn? Ob er wohl nun im Himmel war? Vielleicht hatte er zuerst eine kleine Strafe bekommen, ehe er hineindurfte, weil er auf der Erde so böse gewesen war. Thyra würde bestimmt sofort in den Himmel kommen, Thyra und Vati! Die beiden waren ja die allerbesten auf der ganzen Welt.

Wo war eigentlich Thyra? Kari blieb stehen und blickte sich um. Und wo war sie selbst? Sie hatte keine Ahnung, wie lange sie schon gegangen war, und wo sie sich befand. Sie sah nur, daß sie an dieser Stelle des Waldes noch nie gewesen sein konnte, denn sie erschien ihr völlig fremd. Sie ging auf einem schmalen Pfad, und der Wald umgab sie undurchdringlich dicht.

‚Ich geh' lieber nach Hause', dachte Kari, wandte sich um und begann, auf dem gleichen Pfad zurückzugehen. Aber nach einer kurzen Strecke teilte er sich nach rechts und links. Nach links war er etwas breiter, von dort war sie sicher gekommen, glaubte Kari, drückte ihre Puppe fest an sich und ging in dieser Richtung weiter. Es war so still im Wald, kein einziger Vogel sang. Warum war nur Thyra nicht mitgegangen? Sie war doch sonst immer bei ihr. Sicher erschien Kari nur deshalb alles heute so unbekannt, weil Thyra nicht neben ihr lief.

Wie müde sie auf einmal war. Es konnte zwar nicht weit sein bis Solbakken. Trotzdem setzte Kari sich auf einen Baumstumpf, um sich ein wenig auszuruhen. Sie saß ganz still, so wie der Vater sie gelehrt hatte, daß man im Wald sitzen müsse. Plötzlich rührte sich etwas neben ihr. Da saß ein kleines, graubraunes Tier aufrecht und schaute sie neugierig an. Dann machte es ein paar Sprünge zur Seite, kam aber gleich zurück und knabberte an einem Grashalm. Es war ein junges Häschen. Wie spaßig, es einmal so aus der Nähe beobachten zu können. Kari rührte sich nicht. Der kleine Hase kam so dicht zu ihr herangehoppelt, daß sie ihn hätte anfassen können. Wie dumm und lieb er aussah! Kari hatte große Lust, sein weiches Fellchen zu streicheln, aber sie fürchtete, ihn zu erschrecken. Er sah so komisch aus, wie er da vor ihr Männchen machte, mit einem

Grashalm im Schnäuzchen wie eine Pfeife. Sie mußte sich Mühe geben, nicht laut zu lachen.

Plötzlich piekte sie etwas oben am Bein. Sie schaute nach und entdeckte zu ihrem Entsetzen, daß ihre Füße in einem Ameisenhaufen standen. Mit einem Schrei sprang sie auf. Der Hase verschwand so blitzschnell, als habe ihn die Erde verschluckt. Kari hüpfte von einem Bein aufs andere und schüttelte und schlug die Ameisen von sich ab.

Da hörte sie einen Klang wie eine Glocke. Mitten im Wald? Na, so was Unglaubliches! Dem tiefen Ton nach mußte es sogar eine große, eiserne Glocke sein! Kari lief dem Geläut nach und kam zu einer riesigen Kiefer. Hier war das Gong-gong direkt über ihr. War denn die Glocke im Baum aufgehängt? Kari ging um den Stamm herum und schaute hinauf. Da erblickte sie hoch oben ein rundes Loch und darin den dicken Kopf eines Vogels mit großem Schnabel. Ob dieser Vogel wohl den Glockenton von sich gegeben hatte? Kari staunte. Es war doch mächtig spannend so allein im Wald. Jetzt vermißte sie Thyra gar nicht mehr.

Wenn sie nur nicht so hungrig gewesen wäre. Sie schaute sich um, ob sich nicht irgend etwas Eßbares finden ließe. Und richtig! Ein Stückchen vom Wege ab funkelte es schwarz und glänzend unter hellgrünen Blättern: Blaubeeren! Und was für herrliche Früchte: groß und reif und süß! Kari pflückte und aß, soviel sie vertragen konnte. Nun war sie erst einmal satt. Die Sonne brannte auf die kleine Waldlichtung, wo die Blaubeeren standen, und Kari merkte jetzt noch mehr als vorhin, wie müde sie war. Ein Weilchen wollte sie sich noch ausruhen, ehe sie heimging. Weit konnte der Weg ja nicht sein. Sie setzte sich ins Gras, die Augen fielen ihr zu, und sie merkte nicht mehr, wie sie langsam zur Seite umsank.

Mit einem Schreck erwachte sie. Wie lange mochte sie geschlafen haben? Die Sonne war nicht mehr über ihr zu sehen. Irgendwo in der Nähe bellte ein Hund. Karin wurde froh — das war bestimmt Thyra! Aber es war nicht Thyra, sondern ein fremder Hund, der da durch den Wald angelaufen kam, ein kleinerer mit schwarzlockigem Fell und hübsch anzusehen.

„Komm mal her, Hündchen!“ rief Kari und streckte ihre Hand nach ihm aus.

Der Hund blieb stehen, wedelte und kam dann langsam näher. Vorsichtig schnupperte er an Karis Hand, dann sprang er sie freudig an und versuchte, ihr Gesicht zu lecken.

„Karo! Karo!“ rief eine scharfe Stimme.

Der Hund bellte zurück und rannte aufgeregt im Kreise herum.

Ein großer, dunkelhaariger Mann und eine schlampig aussehende Frau kamen den Weg entlang. Der Mann trug eine

Menge Töpfe, Kessel und andere Küchengeräte, die Frau hatte eine geblümte Reisetasche in der Hand. Verwundert starrten beide das kleine Mädchen an.

„Was bist du denn für eins?“ fragte der Mann.

„Ich heiße Kari Berg und wohne auf Solbakken, wissen Sie, in dem großen, weißen Haus – gleich da unten.“

„Hier ist kein großes, weißes Haus“, sagte der Mann kopfschüttelnd, „ich hab' keins geseh'n.“

„Hat sich vielleicht verlaufen, die arme Kleine“, meinte die

Frau. „Nein, nu' sieh dir bloß unser'n Karo an, Matthias, hast du so was schon erlebt? Tut ja, als ob er das Mädel wer weiß wie lange kennt."

„Wahrhaftig!" sagte der Mann und schüttelte wieder den Kopf. „Wir kommen von Havna", erklärte er Kari, „da haben wir unser Boot liegen, und wir wollen nach Yfsheim und Küchensachen verkaufen. Wenn du dich verlaufen hast, kommst du am besten mit uns."

‚Vielleicht sind sie Landstreicher', dachte Kari, ‚solche Vagabunden, von denen die alte Anna so gruselige Geschichten erzählt hat — daß sie Kinder stehlen und alles so was.'

Aber Kari fürchtete sich nicht. Hatte der Vater nicht gerade erst gesagt, sie könne ihre Hand ebenso vertrauensvoll in Gottes Hand legen wie in seine? Da der Vater nun nicht bei ihr war, konnte sie es ja mal versuchen.

‚Lieber Gott', betete sie in Gedanken, ‚halt' mich bei der Hand und laß mich wieder nach Hause finden.'

Währenddessen sprang der Hund mit allen Zeichen der Zuneigung um sie herum. Darüber freute sich Kari. Es konnten unmöglich böse Leute sein, die einen so freundlichen Hund hatten. Sie klopfte und streichelte ihn.

„Ich glaub', ich komme am schnellsten nach Hause, wenn ich diesen Weg langgehe", meinte sie.

„Nein, da geht's nach Havna", erwiderte der Mann, „wir kommen ja gerade von dort, und da ist kein weißer Hof, der Solbakken heißt. Komm nur mit uns bis zu dem Kaufmann in Yfsheim, zu dem wir wollen. Der hat sicher Telefon, und dann rufen wir deinen Vati an."

Kari verstand, daß gar nichts anderes zu machen war. Eigentlich war auch das ein ganz spannendes Erlebnis. Das einzige, was sie jetzt noch bedrückte, war der Gedanke, daß die Eltern sich gewiß schon sehr um sie bangten. Während sie daran dachte, stapfte sie schon hinter dem Mann her. Bei jedem seiner Schritte klapperten die Küchengeräte auf seinem Rücken.

„Denk' an die Kleine und renn' nicht so, Matthias!" sagte die Frau streng. „Das arme kleine Mädel! Sein Püppchen hat's auch bei sich. Gerade so alt müßte jetzt unser Lorenz sein, wenn wir ihn hätten behalten dürfen." Die Frau hatte Tränen in den Augen. „Soll ich dir mal eine Weile die Puppe tragen helfen?" fragte sie freundlich.

Kari schüttelte den Kopf. „Wer ist Lorenz?" fragte sie.

„Das war unser kleiner Junge", berichtete die Frau, „er ist vor drei Jahren über Bord gegangen und ertrunken. Vor Kristiansand war das. Niemand hat es bemerkt, am Morgen war er verschwunden. Sein Vater war betrunken, und ich war krank." Sie schluchzte laut auf.

„Ach, hör doch auf, davon zu reden!" fuhr der Mann sie an und drehte sich um. Dabei mußte wohl sein Blick auf Astrid-Margarethe gefallen sein, denn er sagte auf einmal ganz freundlich zu Kari: „Wie schade um dein Püppchen, das ist ja kaputt. Soll ich es dir wieder ganzmachen?" Dabei strahlten seine Augen so herzlich, daß Kari sich gut vorstellen konnte, wie sie zu lachen vermochten, als Lorenz noch nicht ertrunken war.

Sie setzten sich an den Wegrand, und der Mann holte verschiedene Sachen aus seinem Rucksack. Er rührte eine Art Teig an und strich ihn über den Sprung in dem Puppenkopf. Dabei bewegten sich seine braunen, langen Finger sehr rasch. Als er fertig war, zog er ein rotgewürfeltes Taschentuch aus seiner Tasche und band es fest um Astrid-Margarethes Kopf.

„Das mußt du bis morgen drauflassen", sagte er, „dann hält es fest, und dein Püppchen ist wieder wie neu."

Astrid-Margarethe sah mit ihrem Verband so komisch aus, daß Kari lachen mußte.

„Richtig krank sieht sie aus", meinte der Mann, „du kannst doch nicht mit einem Püppchen spielen, das die Schwindsucht hat, so frisch und gesund, wie du bist. Warte, das werden wir gleich ändern." Er nahm einen kleinen Farbenkasten und einen Pinsel und malte der Puppe schöne rote Backen. Auch ihre Augenbrauen zog er mit einem feinen schwarzen Strich nach.

„Siehst du, jetzt bist du ein feines Fräulein", sagte der Mann und nickte der Puppe zu, „so wie sich das gehört."

Noch nie in ihrem Leben war Astrid-Margarethe so niedlich gewesen.

„Vielen, vielen Dank!" rief Kari beglückt und machte einen Knicks. „Sie sind ja beinah' so tüchtig wie mein Vati."

„Nun ja, man lernt so dies und jenes", sagte der Fremde schmunzelnd, während er sich erhob. Dann setzten sie ihren Weg fort.

Allmählich merkte Kari, daß sie wieder recht hungrig wurde, denn auf die Dauer sättigten die Blaubeeren doch nicht so richtig. Sie dachte an die großen, dicken Butterbrote, die Anna um diese Zeit zu streichen pflegte, und ihre Augen füllten sich mit Tränen.

Die Frau bemerkte es. „Was hast du, armes Schätzchen?" fragte sie besorgt. „Bist du müde?"

Kari schüttelte den Kopf.

„Hast du vielleicht Hunger?"

Kari nickte heftig.

Die Frau sagte etwas zu ihrem Mann in einer Sprache, die Kari nicht verstand. Daraufhin gingen beide ein Stückchen vom Weg ab in den Wald hinein.

„Jetzt sollst du gleich was zu essen kriegen, mein Goldkind", sagte die Frau und streichelte Kari über das blonde Haar.

Nach kurzer Zeit erreichten sie einen kleinen Bach. Kari setzte sich auf ein Grashügelchen und bekam eine Tüte mit klebrigen Bonbons, die ihr die Wartezeit versüßen sollten. Inzwischen sammelte die Frau trockne Zweige, und der Mann machte damit ein Feuer an. Es ging rasch, und die knisternden Tannenreiser dufteten herrlich nach Weihnachten. Über den Flammen stieg der Rauch wie ein dünner Strich senkrecht in die Luft, so still war es.

Aus dem Rucksack kam allerlei Praktisches und Leckeres zum Vorschein. Zuerst wurde ein Kessel mit Wasser aufgesetzt und Kaffee gebrüht. Dann kam eine Bratpfanne aufs Feuer.

Kari schnupperte. „Hm — Schinkenspeck!" Den aß sie gern.

Die Frau schnitt dicke Brotscheiben, verteilte sie und forderte jeden auf, sich zu versorgen. Kari machte es den andern nach, tunkte ihr Brot in das zerlassene Fett auf der Pfanne und fischte sich dazu mit der anderen Hand ein Stück gebratenen Schinkenspeck heraus. Es schmeckte wunderbar! Sie bekam eine halbe Tasse voll Kaffee, die Frau warf ihr vier Zuckerstückchen hinein und füllte die Tasse dann mit Sahne aus einer Büchse.

„Iß und trink, und wohl bekomm's!" sagte die Frau.

Es war das zweitemal, daß Kari Kaffee trank. Das erstemal durfte sie zum Frühstück bei Tante Molla ein paar Schlucke trinken Plötzlich sah sie wieder das Zimmer vor sich mit seinen hellgrünen Möbeln, den schneeweißen, zarten Vorhängen und den seidenen Daunendecken. Nein, das hier war viel lustiger!

„Was lachst du?" fragte der Mann erstaunt.

„Och — nichts!" sagte Kari ausweichend. Es wäre zu schwierig gewesen, ihm das zu erklären.

Der Hund umschwänzelte sie bettelnd. Von den andern wurde er grob weggejagt, aber Kari steckte ihm hin und wieder heimlich einen Happen Brot zu.

„Es wird Zeit, daß wir uns wieder auf den Weg machen", sagte der Mann, während er alle Sachen im Rucksack verstaute und die glimmenden Reste des Feuers austrat. „Es geht auf den Abend zu, und wir haben den ganzen Tag noch nichts verkauft."

Kari war satt und ausgeruht und nun zu neuen Abenteuern bereit. „Wo wollen Sie denn überall hin?" fragte sie.

„Wir reisen die ganze Küste entlang", erklärte der Mann. „Viel Mühe und wenig Freude", fügte er mit einem Seufzer hinzu, „denn es passiert ja nicht alle Tage, daß wir so ein liebes Mädelchen treffen wie dich."

„Wir haben ein feines Boot da unten in Havna liegen", sagte die Frau stolz, „an der ganzen Küste gibt's kaum ein besseres. Oh, wenn du wüßtest, wie schön das ist, damit zum Fischen draußen vor den Schären zu liegen, ganz früh morgens, wenn die Sonne hochkommt Und dann gehen wir an Land auf eine von den kleinen Inseln und kochen den Fisch in Seewasser. Hast du nicht Lust, mal mit uns zu kommen und unser Boot zu sehen?"

„Sei still, Alte!" sagte der Mann und warf seiner Frau einen ärgerlichen Blick zu. Dann redeten sie wieder zusammen in einer Sprache, die Kari nicht verstand. Das war nicht angenehm, und so wandte Kari sich dem Hund zu. Sie legte ihm die Arme um den Hals und streichelte ihn. Doch bald fing es an, sie am ganzen Körper zu jucken, so als ob sie überall Mückenstiche hätte. Vielleicht hatten die Ameisen sie da gebissen. Kari kratzte sich, wo sie nur hinkommen konnte.

Da lachte die Frau auf einmal laut auf. „Armes Kind! Du hast wohl Flöhe abgekriegt von unserm Karo? — Halt dich weg, du altes Floh-Hotel!" fuhr sie den Hund an.

Karo verstand sofort, was sie meinte, kniff den Schwanz ein und schlich ein paar Schritte zur Seite.

Kari hatte keine Ahnung, was Flöhe für Tiere waren, und stellte sich vor, daß sie so was Ähnliches wie Mücken sein mußten.

Vor ihnen lichtete sich nun der Wald, und sie blickten hinab auf einen Ort, der Kari ganz unbekannt war.

„Siehst du, in dem großen, gelben Haus dort, da wohnt der Kaufmann, zu dem wir wollen", sagte der Mann, „von da kannst du nach Hause telefonieren."

Die Frau machte ein Gesicht, als wollte sie etwas dagegen einwenden, schien sich aber nicht zu trauen, und so gingen sie weiter.

Nicht lange, so hatten sie das Haus erreicht. Ein großer Laden war darin, und viele Leute standen herum oder lehnten sich über den Ladentisch. Ein dicker Mann mit aufgekrempelten Ärmeln redete auf sie ein.

„Am besten zieht ihr gleich los und durchstöbert den Wald. Der Herr Berg ist schon sehr in Unruhe. Zwanzig Mann hat er bereits von der andern Seite aus verschiedenen Richtungen in den Wald geschickt. Das Mädel kann ja nicht allzu weit sein. Außerdem ist es jetzt hell und warm in der Nacht, so daß ihr nichts Ernstliches passieren kann."

„Na, da treibt sich doch allerlei Gesindel 'rum", meinte ein Bauer und spuckte auf den Boden. „Könnte also auch möglich sein, daß sie mit jemand zusammengetroffen ist, der sie mit sich gelockt hat. Man hört da ja so manches."

Plötzlich erblickte der dicke Mann mit den nackten Armen

das Kind an der Tür. „Wo kommst du denn her?" fragte er erstaunt.

„Ich — also — ich bin — die Kari Berg", stotterte Kari verlegen, denn sie hatte wohl herausgehört, daß hier von ihr gesprochen wurde. Es war ihr schrecklich peinlich, daß nun alle auf sie schauten. „Und ich wollte Sie bitten, ob ich wohl mal bei Ihnen nach Hause telefonieren kann, damit Vati mich abholt."

„Wie bist du denn hierher gekommen?" fragten die Leute. „Bist du mit jemanden mitgegangen?"

Kari nickte. „Ich traf so nette Leute im Wald", erklärte sie, „aber sie wollten nicht mit hier hereinkommen. Sie haben einen Hund, der heißt Karo, und eine Masse Töpfe und so was. Und er hat meine Puppe ganzgemacht, die Astrid-Margarethe, hier, guckt mal, und das rote Taschentuch hat er drumgebunden. Ich hab' gebratenen Speck gekriegt und Kaffee, und die haben sich so nett mit mir unterhalten. Jawohl, die waren sehr nett!" schloß sie ein wenig außer Atem von der langen Rede und nickte eifrig dazu.

Die Männer sahen einander an. Dann fragte einer von ihnen: „Hast du denn keine Angst gehabt?"

„Nein, warum? Da war ja nichts zum Fürchten", und in Gedanken fügte Kari hinzu: ‚Der liebe Gott hat mich ja bei der Hand gehalten!' Aber das sagte man wohl besser nicht laut.

Der dicke Mann telefonierte und rief dann Kari an den Apparat. Die Mutter wollte mit ihr selber sprechen.

„Fehlt dir auch wirklich nichts, mein Herzchen?" fragte die Mutter. Kari hörte ihrer Stimme an, daß sie weinte. „Wir haben uns so um dich gesorgt. Vati ist draußen im Wald und sucht dich. Aber jetzt werde ich gleich hinausgehen und auf den Mittagsgong schlagen, dann weiß er, daß du gefunden bist."

Der dicke Kaufmann beschaffte ein Auto und schenkte Kari eine große Tüte voll leckrer Sachen, Apfelsinen, Kekse und Schokolade. Kari fragte den Mann, der das Auto fuhr, wie weit es bis nach Solbakken sei, und er meinte, es seien wohl mehr als zwei Meilen.

„Du hattest aber Glück, daß du freundliche Leute getroffen hast, die dir geholfen haben. Das hätte ja tagelang dauern können, bis man dich gefunden hätte. Der Wald hat seine vier bis fünf Meilen Durchmesser."

„Sehen Sie, da vorn gehen sie ja!" rief Kari plötzlich begeistert. Auf der Landstraße trotteten hintereinander der lange, dunkle Mann und die kleine, schwarzhaarige Frau. Wie traurig und müde sie aussahen! Auch Karo folgte ihnen mit hängendem Kopf. Kari bat den Fahrer, anzuhalten. Er warf ihr zwar einen etwas unwirschen Blick zu, aber er tat es.

„Hallo!" rief Kari. „Wo waren Sie denn geblieben? Ich hab' Ihnen ja noch gar nicht richtig ‚Auf Wiedersehen' gesagt. Ich hab' mit Mutti telefoniert. Sie war sehr froh."

„Ja, ja, manche Leute haben eben Glück", murmelte die Frau, „die kriegen ihre Kinder wieder zurück."

Sie tat Kari sehr leid, und um ihr etwas Gutes zu tun, fragte sie: „Wollen Sie nicht mitfahren?"

„Ja, steigt nur ein!" sagte der Fahrer des Wagens.

Die beiden auf der Landstraße schauten verdutzt drein. „Wir sind noch nie mit einem Auto gefahren", sagte der Mann, „aber es müßte schon ganz flott sein, es mal zu probieren."

Sie stiegen ein. Aber gleich darauf ertönte draußen ein jämmerliches Geheul: Sie hatten Karo vergessen. Auch er durfte mit hineinspringen und sich neben den Fahrer setzen. So fuhren sie los. Bei jeder Kurve schrie die Frau ängstlich auf, der Mann dagegen rief: „Schneller, schneller!" und schlug sich begeistert auf die Knie. Es war die komischste Gesellschaft, die der Fahrer je in seinem Wagen gehabt hatte. Er hatte mindestens ebensoviel Spaß an dieser Fahrt wie sie. Plötzlich sagte der Mann, sie müßten nun wieder aussteigen, sie kämen sonst zu weit von ihrem Weg nach Hause ab.

„Wieso? Wollten Sie denn nicht hier langgehen?" fragte Kari erstaunt.

„Nicht so weit", sagte der Mann, „denn der Weg nach Havna ging kurz vor uns nach links ab, als wir dich trafen."

„Da habt ihr ja beinahe sieben Kilometer zurückzulaufen", sagte der Autofahrer.

„Das macht nichts", erwiderte der Mann, „das sind wir ja

gewöhnt. Diese Fahrt war jedenfalls das Lustigste, was ich je erlebt habe — vielen Dank auch!"

Sie stiegen aus, drückten Kari die Hand und sagten Lebewohl, und Karo leckte winselnd ihr Gesicht. Als der Wagen anfuhr, fiel Kari die Tüte ein, die ihr der Kaufmann geschenkt hatte. Rasch kurbelte sie das Fenster herunter. „Hallo — wartet mal!" schrie sie, und dann warf sie die Tüte hinaus. Es schien ihr das mindeste, was sie für die freundlichen Leute tun konnte.

Während der Weiterfahrt fing der Autobesitzer plötzlich an, sich heftig zu kratzen und zu scheuern.

Kari lachte. „Sie haben sicher auch Flöhe von Karo gekriegt", meinte sie, „ich nämlich auch. Das müssen solche großen, besonderen Mücken sein, glaub' ich, die ganz toll pieken."

Abends fand die alte Anna nicht weniger als fünf Flöhe bei Kari. Ihr ganzer Körper war zerstochen, das war wirklich eine scheußliche Art von Mücken. Aber was schadete es — Kari erzählte und erzählte. Auch Bassi hatte eine Neuigkeit zu berichten, doch es dauerte lange, ehe sie sie loswerden konnte. Erst als Kari mal eine kleine Pause machen mußte, um Luft zu holen, rief Bassi schnell dazwischen:

„Wir haben den Hahn zu Mittag gegessen. Er war bös', aber er schmeckte gut — hm! Du hast nur Speck und Kaffee gekriegt, du!"

## Der gefangene Hühnerdieb

Kari mochte Hühner nicht so gern wie andere Tiere, denn sie waren dumm und zu nichts zu gebrauchen. Außerdem waren es so viele, daß man nicht so recht dazu kam, das eine oder andere von ihnen näher kennen zu lernen. Als Kari noch klein war, konnte sie die Hühner vor allem deshalb nicht leiden, weil sich die Mutter so oft mit ihnen beschäftigte. Am schlimmsten war es damals in dem Winter, als sie wegen einer bösen Erkältung lange Zeit nicht mit hinaus durfte in den Hof. Da mußte sie allein im Zimmer bleiben, die Mutter war fort, und der Tag war so lang.

Einmal, als die Mutter wieder bei den Hühnern gewesen war und zurückkam, fragte Kari sie nachdenklich:

„Du, Mutti, sind die Englein immer beim lieben Gott und haben es da schön?"

„Ja gewiß", antwortete die Mutter, „sehr schön haben sie es da."

„Ja, aber was machen denn die Englein, wenn der liebe Gott fort ist, um die Hühner zu füttern?"

Das wußte die Mutter leider auch nicht. Kein Mensch wüßte alles so genau über die Engel, meinte sie.

Im vorigen Jahr gab es auf Solbakken mal ein Huhn, das sich von den anderen unterschied. Schon als kleines Küken war es ungewöhnlich zahm und zutraulich. Da es sich an einem Bein verletzt hatte, nahm die Mutter es in die Küche, wo es lange Zeit blieb. Vielleicht war es deshalb anders geworden als die übrigen Hühner.

Kari bat, es für sich behalten zu dürfen, und sie bekam es. Sie taufte es Marte, weil sie fand, daß es der Waschfrau ähnlich sähe, die immer nach Solbakken kam, und die so hieß. Kari durfte alle Eier, die Marte legte, behalten, und wenn es mehr waren, als sie essen durfte, dann brachte sie sie in die Küche zu Anna, die ihr dafür ein paar Öre für die Sparbüchse gab. Und darum bewachte und betreute Kari ihr Huhn sehr sorgfältig.

Im Spätsommer aber gab es damit eine große Aufregung, und das kam daher, daß Marte unbedingt Küken haben wollte. Das wollen natürlich alle Hühner, aber die Mutter meinte, Marte sei noch zu jung und unerfahren dazu, sie solle lieber für Kari Eier legen. Jedesmal, wenn Marte zu glucken anfing und nicht vom Nest herunterwollte, nahm die Mutter sie und steckte sie in einen ganz kleinen Käfig, bis das Huhn es endlich aufgab. Aber bald darauf war Marte täglich für längere Zeit verschwunden.

„Sieh einer diesen Trotzkopf an!" sagte die Mutter. „Paß

auf, Kari, deine Marte hat sich bestimmt irgendwo draußen ein Nest gemacht. Wenn bloß nicht der Fuchs sie holt."

Kari suchte überall. Sie versuchte, Marte zu überlisten und ihr heimlich nachzuschleichen, wenn sie zum Trinken auf den Hof gekommen war. Aber Marte war geschickt. Es gelang Kari nicht, herauszufinden, wo das Huhn sich aufhielt, und wahrhaftig kam sie eines schönen Tages stolz angetrippelt und hinter ihr acht niedliche Küken. Kari war glücklich. Jetzt besaß sie neun Hühner. Sie war geradezu eine Großbäuerin geworden.

Die Mutter war weniger beglückt darüber. Sie wußte nicht, was sie mit den Küken machen solle, die viel zu spät im Jahr gekommen waren. Aber Kari bettelte darum, sie alle behalten zu dürfen. Dies erwies sich bald als Vorteil, denn von Martes acht Küken waren sechs Hühner, während die Hennen der Mutter in diesem Jahr hauptsächlich Hähne ausgebrütet hatten, und die sind ja zu nichts anderem nütze als zum Schlachten und Braten.

Einmal nun spazierte Marte mit ihrer Kinderschar froh und zufrieden pickend und scharrend hinter der Scheune herum. Plötzlich fing der Hahn wild zu krähen an, und alle begriffen sofort, was es heißen sollte: Kommt! Kommt! Gefaaaahr!

Die Mutter hatte wohl doch recht gehabt, als sie meinte, Marte sei noch zu jung, um Küken zu führen. Jedenfalls waren ihre Kinder hoffnungslos ungehorsam. Während das ganze andere Hühnervolk sofort Beine und Flügel streckte und gackernd dem Hof zurannte, blieben Martes Küken ganz ruhig dort, wo sie waren, und kümmerten sich überhaupt nicht um den kleinen Punkt hoch oben am Himmel, der Tod und Verderben bedeutete. Die beiden Hähnchen sprangen umeinander und zankten sich um ein Korn, das jedes zuerst gefunden haben wollte. Marte schrie verzweifelt nach ihnen, aber sie hörten nicht darauf.

Im nächsten Augenblick fiel der Hühnerhabicht auf die Henne herab und schlug seine Fänge in ihren Rücken.

Von der Treppe zum Heuboden aus hatte Kari alles mit angesehen. Gleich als der Hahn zu schreien anfing, hatte sie vermutet, daß der Habicht in der Nähe sei, und war hinausgelaufen, um nach Marte zu sehen. Jetzt stürzte sie hinzu, schrie und fuchtelte wild mit den Armen. Der Habicht wollte trotzdem seine Beute nicht loslassen, sondern mit ihr davonfliegen. Aber Marte war zu groß und schwer, so daß er nicht so leicht hochkam. Dann aber schaffte er es, und um Kari auszuweichen, flog er auf eine große, dunkle Öffnung zu. Dort, so meinte er wohl, konnte er in Ruhe seine Beute verzehren, denn lange zu fliegen vermochte er ohnehin nicht mit dem schweren Huhn.

So landete der Habicht im Wagenschuppen, und Kari rannte hinter ihm her. „Jetzt hab' ich dich, du Hühnerdieb!" rief sie und warf die Tür hinter sich zu. Im Gegensatz zu dem grellen Sonnenlicht draußen war es hier stockfinster, und es dauerte eine Weile, bis sich ihre Augen daran gewöhnt hatten, und sie einzelne Gegenstände unterscheiden konnte. Hinter der Tür entdeckte sie einen alten Reisigbesen. Sie griff danach und schlug damit nach dem Habicht. „Laß Marte los, du, laß los!" schrie sie aus Leibeskräften.

Der Habicht merkte, daß er in eine Falle gegangen war. Er ließ die Henne los, die, halb bewußtlos vor Schreck, in eine Schüssel fiel, wo sie laut schreiend sitzenblieb. Gleich darauf fühlte Kari schwere, gefahrdrohende Flügelschläge über ihrem Kopf.

„Dir werd' ich's geben, du Scheusal!" schrie sie, kletterte rasch auf den Bock der Kutsche, die hier stand, und schwenkte mit aller Kraft den Besenstiel um sich. Der Habicht hielt es für geraten, ihr nicht zu nahe zu kommen. Seine bösen, gelben Raubtieraugen starrten Kari an. Er schien zu überlegen, ob es wohl Sinn hatte, den Kampf mit diesem kleinen angriffslustigen Ungeheuer aufzunehmen. Vor Angst und Wut schimpfte Kari so laut mit ihm, daß es weithin zu hören war.

„In Herrgotts Namen — was geht denn hier vor?" fragte Nils und öffnete die Tür. Im gleichen Augenblick sauste der Habicht wie ein abgeschossener Pfeil darauf zu.

„Faß ihn! Faß ihn!" schrie Kari aufgeregt.

Ehe Nils wußte, was eigentlich los war, hatte er schon einen fauchenden, hackenden Hühnerhabicht im Arm, während eine zu Tode erschrockene Henne zwischen seinen Beinen hindurchflatterte.

„Hurra!" schrie Kari und sprang vom Kutschbock herunter. „Jetzt soll er's aber kriegen, der schlimme Troll!"

Es war gewiß nicht jedermanns Sache, einen Habicht festzuhalten. Aber Nils gehörte nicht eben zu den Ängstlichen,

und so hatte er rasch und geschickt die Flügel des Tieres zu fassen bekommen, es zum Hauklotz getragen, und gleich darauf lag der kopflose Habicht am Boden.

Das war ein so schrecklicher Anblick, daß Kari zu weinen anfing. Sie stürzte aus dem Schuppen, rannte zur Mutter und barg ihren Kopf in deren Schoß.

„Ein komisches Mädel!" sagte Nils zur alten Anna. „Hat doch wahrhaftig 'nen Tick mit seiner Tierliebe. Aber wenn's drauf ankommt, hat's Mut wie'n Junge."

„Pah!" machte Anna und schnaubte durch die Nase. „Wenn

hier einer Mut gehabt hat, dann war's doch wohl derjenige, der den Habicht mit bloßen Fäusten festzuhalten wagte, meine ich. Komm, laß mal deine Hände sehen, Nils, die müssen ja fürchterlich aufgeschlagen sein."

Draußen im Hühnerhof machte Marte ein Gegacker, daß es außer ihren Kindern kaum einer mit anhören konnte. Es bedeutete nämlich: ‚Seht mal her, was ich für eine bin! Keine auf der ganzen Welt ist so tapfer wie ich, denn ich habe einen ausgewachsenen Hühnerhabicht besiegt. Sogar unser Hahn hätte das nicht besser gekonnt, wenn er noch lebte.'

*

Zur gleichen Zeit entdeckte Kari, wie Thyra und Thor unter dem Baum mit den großen blauen Pflaumen standen und eifrig im Gras wühlten. Sie rannte hin und war sehr böse.

„Na, wo gibt's denn so was?" rief sie entrüstet. „Hunde, die Pflaumen fressen wie Menschen!" Sie ergriff Thyra beim Halsband und schüttelte sie. „Niemand würde einem das glauben, wenn man das erzählte, was ihr für komische Viecher seid. Als die Erdbeeren reif waren, seid ihr drangewesen — jawohl, das hab' ich gesehen —, und jetzt fangt ihr an, uns die Pflaumen wegzufuttern."

Thyra machte ein sehr verlegenes Gesicht. Sie hatte genau verstanden, daß Kari es für eine Schande hielt, wenn Hunde Obst fressen. Thor dagegen war noch ein Hundekind, und daher waren ihm solche Feinheiten völlig gleichgültig. Eben hatte er wieder eine herrliche große Pflaume im feuchten Gras gefunden, und er knackte den Stein, als sei er der leckerste Knochen.

Kari sammelte die Pflaumen auf, die noch übrig waren, dann ging sie langsam weiter durch den Garten, gefolgt von den Hunden, zu einer Stelle, wo noch zwei kleinere Pflaumenbäume standen. Und was sah sie dort? Nein, das überstieg nun wirklich die Grenzen des Erlaubten: Da saß doch wahrhaftig Pelle Eichhorn und nahm sich ebenfalls alles, was gut und lecker war. Pelle gehörte eigentlich zu Karis besten Freunden, dem sie ein paar Pflaumen von Herzen gönnte. Aber er fraß sie ja gar nicht richtig, sondern benahm sich so unmanierlich wie ein Schweinchen, indem er nur einmal von jeder Frucht abbiß und sie dann einfach auf die Erde warf. Das gehörte sich nicht!

„Weg mit dir, Pelle!" rief Kari und klatschte in die Hände.

Das Eichhörnchen guckte mit schiefem Kopf auf sie hinab, und es sah aus, als lächle es ein bißchen. Dann fuhr es seelenruhig fort, eine Pflaume nach der andern zu pflücken. Es hielt sie zierlich in den Vorderpfötchen, knabberte sie an und warf sie weg. Eines dieser nassen Geschosse traf Kari mitten ins Gesicht. Da faßte sie nach dem Stamm und schüttelte den Baum mit aller Kraft. Nun entschloß sich Pelle doch, lieber zu verschwinden. Mit einem langen Satz landete er im Wipfel des Birnbaums. Die Hunde verfolgten ihn durch den ganzen Garten und beschimpften ihn bellend, so laut sie konnten.

Kari war stehengeblieben und blickte sich nun auch hier auf dem Erdboden um. Ach, du lieber Himmel, was für eine Unmenge Pflaumen lagen da! Hatte denn heute nacht ein Sturm getobt? Na ja, ein paar waren wohl auch heruntergekommen, als sie den Baum geschüttelt hatte. Aber das mußte sie machen, um den frechen Pelle zu vertreiben. Der Vater konnte doch unmöglich erwarten, daß sie Pelle da oben sitzen und ungestört alle Pflaumen anbeißen ließ. Kari sammelte so viele wie möglich in ihre Schürze und wandte sich dann dem Hause zu.

In der Küchentür traf sie Anna.

„Bitte sehr", sagte Kari, „willst du Pflaumen haben?"

„Na, deine Schürze werd' ich wohl kaum wieder sauber kriegen, wenn du sie zum Obstsammeln benutzt", brummte Anna, während sie die Pflaumen herausnahm und in eine große, grüne Schale legte. Anna war immer schnell bei der Hand mit dem Schimpfen.

## Ich bin doch kein Junge!

Kari und Bassi spielten Hopse auf dem Hof. Unter dem Birnbaum lag das Brüderchen in seinem Wagen und schlief. Die Plane war heruntergeklappt und weißer Tüll darübergespannt, denn die Fliegen wollten das kleine Gesicht gar nicht in Frieden lassen. Brüderchen tat eigentlich den ganzen Tag nichts anderes als trinken und schlafen, nur nachmittags quakte es für gewöhnlich eine Zeitlang. Die Mutter meinte, das dürfe es ruhig tun, denn das sei ja die einzige Bewegung, die es hätte. Kari aber glaubte, der kleine Bruder tue es, weil er sich langweile.

Es war drückend heiß. Thyra lag vor ihrer Hundehütte und rührte sich nicht. Die Zunge hing ihr aus dem Maul wie ein nasser, rosa Klumpen. Hin und wieder versuchte Thor, sie zum Spielen aufzufordern, doch sie brummte nur unwirsch.

„Ich mag nicht mehr Hopse spielen", sagte auch Kari, „es ist zu warm. Die arme Thyra tut mir leid, weil sie immerzu denselben Pelz tragen muß, im Sommer und im Winter."

„Wollen wir ihren Pelz abschneiden?" schlug Bassi vor. „Und Puppenkissen damit füllen?"

„Untersteh dich!" sagte Kari drohend. „Vati hat das zwar mal gemacht, aber du kommst mir nicht mit der Schere an Thyra, da werde ich schon aufpassen."

Bassi war gerade in dem unseligen Alter, in dem Kinder unbedingt alle Möglichkeiten ausprobieren müssen, die sich mit einer Schere anstellen lassen. Keine Decke, kein Sesselbezug waren vor ihr sicher. Die Mutter und die alte Anna waren schon ganz verzweifelt, und mehrfach hatten sie Bassi mit etwas gedroht, das „Rute" hieß. Die Rute mußte etwas ganz Schlimmes sein. Mutter hatte, wie sie sagte, oft was damit gekriegt, als sie klein war.

„Warst du denn so unartig, Mutti?" fragte Kari erstaunt.

„Das nicht", erwiderte die Mutter, „aber die Omi war sehr streng. Wenn wir nicht sofort gehorchten, gab's gleich was, das könnt ihr mir glauben."

Die beiden Mädel schauten sie zweifelnd an, und es blieb

ihnen nach wie vor unklar, was für eine geheimnisvolle Sache diese Rute eigentlich sein mochte.

In Erinnerung daran fügte Kari auch jetzt ihrer Warnung noch hinzu: „Also paß ja auf, Bassi, und laß Thyra in Ruhe, denn du weißt, wenn du schnippelst, kriegst du was mit der Rute."

Bassi sagte nichts. Sie sang leise vor sich hin und schlenderte ins Haus zu Anna. Die Eltern hatten sich zur Mittagsruhe hingelegt.

„Komm, Anna, Bilderbücher angucken!" forderte sie.

„Ich muß bügeln, Bassi, ich hab' keine Zeit", erwiderte Anna.

Bassi seufzte. Die Erwachsenen hatten nie Zeit zu irgendwas.

„Geh raus und spiel mit Kari!"

Die Kleine schüttelte den Kopf. „Is' zu warm! Bassi will hierbleiben."

„Oh, ich weiß, was du tun kannst", sagte Anna, „hol deinen Farbenkasten und mal' mir ein schönes Bild, ja? Hier hast du ein großes Stück Papier. Setz dich an den großen Tisch im Durchgang, da ist es schön kühl."

Mit dem Vorschlag war Bassi einverstanden. Doch kaum hatte sie zu malen angefangen, sprang Graupelzchen auf den Tisch, strich mit krummen Rücken unter Bassis Nase lang, und dann legte er sich behaglich schnurrend mitten auf das Papier.

„Weg da!" befahl Bassi.

Aber Graupelzchen rührte sich nicht von der Stelle, sondern blinzelte Bassi nur schläfrig aus seinen schmalen, grünen Augen an.

„Soll wohl dich malen?" fragte Bassi. „Na ja!" Und sie machte sich ans Werk. Doch das war nicht so einfach Keine Farbe in dem Kasten wollte für den silbergrauen Pelz passen. Bassi gab es auf und malte stattdessen lauter krause Schnörkel rund um den Kater Er wurde hier und da ein bißchen naß dabei, aber das schien ihn bei der Wärme nicht weiter zu stören. Endlich war das ganze Papier vollgepinselt, und Bassi überlegte, was sie noch bemalen könnte. Vielleicht Astrid-Margarethe? Kari hatte sich doch neulich so gefreut, als der fremde Mann das Puppengesicht ausgetuscht hatte. Leise schlich

Bassi ins Kinderzimmer, um die Puppe zu holen. Aber da war Kari und hatte Astrid-Margarethe im Arm.

„Was willst du?" fragte sie mißtrauisch.

„Och — nix!" sagte die Kleine und fügte unbefangen hinzu: „Bassi wollt' bloß was zum Malen haben, mein Malbuch."

„Verschmier' es aber nicht!" sagte Kari und ging mit ihrer Puppe hinaus.

Nun war Bassi arbeitslos, und das paßte ihr gar nicht, denn sie war eine fixe kleine Person, die immer was zu tun haben mußte. Langsam trottete sie wieder auf den Hof hinunter, aber da war keine Menschenseele zu sehen. Kari war sicher in den Garten gegangen. Drüben unter dem Birnbaum fing jetzt das Brüderchen an, seine komischen Laute von sich zu geben. Bassi lief zu ihm hin. Es sah so spaßig aus, wenn es mit großem Mund sein „Rabäh — ra-ra-ra-bääääh" machte und dazu mit den Ärmchen herumfuchtelte. Als Bassi an den Wagen trat, war der Kleine sofort still und lächelte die Schwester an. Kari hatte wohl doch recht, er langweilte sich und hatte gern Gesellschaft und Unterhaltung.

„Du siehst aber häßlich und blaß aus", stellte Bassi fest, „warum hast du nicht rote Backen wie Astrid-Margarethe?" Plötzlich fiel ihr was ein: sie konnte doch das Brüderchen anmalen! Die Mutter würde sich bestimmt genauso darüber freuen wie Kari über Astrid-Margarethe.

Bassi lief hinein, um Malkasten und Pinsel zu holen. Der Kater lag noch immer auf dem Papier.

„Kannst ruhig liegenbleiben", sagte Bassi großmütig, „Bassi braucht Papier nicht mehr."

Mit Lust und Liebe ging sie an die Arbeit, und das Brüderchen krähte vor Vergnügen, als der Pinsel es kitzelte. Nun hatte es schöne knallrote Backen, fast wie Astrid-Margarethe. Bassi legte ihr Handwerkszeug beiseite und trat einen Schritt zurück, um ihr Werk zu betrachten. Irgendwas fehlte da noch, aber was? Ach ja, nun sah sie es: die schwarzen Augenbrauen! Also — nanu, wo war denn der Pinsel geblieben? Bassi schaute sich suchend um. Da entdeckte sie Thor, der vergnügt umhersprang und dabei etwas im Maul hatte — und richtig, es waren die traurigen Reste des Pinsels. Was sollte sie nun machen? Sie mußte doch den kleinen Bruder fertigmalen, bevor die Mutter kam. Ein neuer Pinsel war zu beschaffen, aber woher? Grübelnd strich Bassi durch ihr Haar.

Da kam ihr plötzlich ein großartiger Gedanke — eine Locke! Die mußte einen feinen Pinsel abgeben, wenn man sie mit einem Faden zusammenband.

Heimlich schlich Bassi ins Wohnzimmer, wo die Mutter ihre kleine Nähkommode stehen hatte. Die Schere war schnell gefunden. Natürlich war es verboten, sie zu nehmen, aber dies war ja ein Sonderfall. Bassi stellte sich in der Diele vor den Spiegel und fing an zu schneiden — zuerst über der Stirn. Aber das war gar nicht so einfach. Die Löckchen fielen immer so schnell herunter, daß es Bassi nicht gelang, so viele zusammenzufassen, daß es für einen Pinsel reichte. Es wollte geübt sein. Sie schnitt rechts weiter, dann links. Nun schaute ihr ein ganz fremdes Gesicht aus dem Spiegel entgegen. Aber die Hauptsache war, daß sie endlich ein ordentliches Büschel Haare in den Fingern hielt, die zu einem Pinsel zusammengewickelt werden konnten. Sie reichten sogar für zwei Pinsel. Also entschloß sich Bassi, für Kari einen mitzufabrizieren. Eifrig wickelte sie Nähgarn um die Locken. So — die Pinsel waren fertig, und Bassi lief damit wieder auf den Hof. Das Brüderchen schrie wie am Spieß, sicher weil es sich langweilte.

„Ja, ja, Bassi kommt!" rief die kleine Schwester ihm zu und beeilte sich, den Kinderwagen zu erreichen. Der eigentümliche Pinsel wurde in das schwärzeste Schwarz getunkt, das im Kasten war, jedoch gelang der Augenbrauenstrich nicht besonders gut. Er wurde reichlich dick. Bassi spuckte auf ihren Finger, um ihn wieder wegzuwischen, aber davon wurde es noch schlimmer. Außerdem hielt das Brüderchen nicht still. Ehe Bassi dazu kam, auch die andere Augenbraue zu malen, erschien die Mutter in der Haustür.

„Spielt mein kleines Mädel mit dem Brüderchen?" fragte sie froh. Doch dann blieb sie wie angewurzelt stehen. „Um Himmels willen, Kind, wie siehst du denn aus?"

„Ach so, ja, ich brauchte bloß einen Pinsel, weißt du, der Thor war so unartig, er hat meinen Pinsel aufgefressen. Er macht überhaupt so viele Dummheiten. Alles, was er kriegen kann, frißt er. Ich glaub', er muß bald die Rute haben. Nils sagt das auch."

„Wie furchtbar!" die Mutter stöhnte. „Wochen wird es dauern, bis du wieder wie ein Mensch aussiehst. Auf was du aber auch alles kommst. Du weißt doch ganz genau, daß du keine Schere anfassen sollst. Mir scheint, jemand anders als Thor muß die Rute haben." Sie beugte sich über den Wagen, um den Kleinen aufzunehmen, fuhr aber mit einem Schreckensschrei zurück. „Großer Gott, was ist denn mit ihm passiert? Hat er sich geschlagen? Er ist ja ganz blutig. Anna, kommen Sie bitte schnell mal her und sehen Sie sich das an. Wir müssen sofort den Doktor anrufen."

Da tat Bassi etwas Merkwürdiges, was bei ihr allerdings nichts Besonderes war. Sie hüpfte ausgelassen auf dem Hof herum, lachte und jubelte: „Jetzt hab' ich dich aber angeführt,

Mami. Das hab' ich nämlich gemacht, ich hab' ihn angemalt. Sieht er nicht fein aus? Beinah wie Astrid-Margarethe. Dazu brauchte ich meine Haare als Pinsel, weißt du?"

Aus der Küche kam die alte Anna angelaufen und gleichzeitig eilte Kari aus dem Garten herbei. Entsetzt starrten sie das Baby an. Bassi blieben die Worte im Halse stecken. Sie fing an zu stammeln, aber niemand beachtete sie. Da hatte sie nun gedacht, es sei ihr was besonders Hübsches eingefallen, um der Mutter einen Spaß zu machen, und nun war sie so böse mit ihr wie noch nie.

„Ich glaube wahrhaftig, du bist nicht ganz bei Troste, Bassi", schalt sie, „ich mag dich gar nicht mehr sehen — verschwinde!" Und zum erstenmal in ihrem Leben bekam Bassi eine schallende Ohrfeige. Die Mutter nahm den kleinen Bruder auf den Arm und lief mit ihm hinein, Anna folgte kopfschüttelnd, und Kari fing an zu weinen. Nur Bassi blieb wie zu Stein erstarrt stehen.

„Na", sagte Nils, der aus seiner Stube über den Hof geschlendert kam, „jetzt ist es wohl so weit, daß auf Solbakken eine Rute angeschafft werden muß." Dazu machte er ein Gesicht, als freue ihn das.

„Pfui, schäm' dich!" rief Kari empört und schlang die Arme um die kleine Schwester. „Verstehst du denn nicht, daß Bassi Brüderchen nur schönmachen wollte? Ach, ihr seid ja alle so dumm — so dumm seid ihr, jawohl!"

Bassi rührte sich noch immer nicht — ausgerechnet sie, die sonst bei jeder Gelegenheit mit voller Lautstärke losbrüllte.

In der Küchentür erschien Anna wieder. Sie blickte sich vorsichtig um, dann ging sie auf Bassi zu. „Mach dir nichts draus, mein Goldkind", flüsterte sie. „Brüderchen wird gewaschen, und dann ist alles wieder in Ordnung. Sieh mal, was Anna für dich hat!" Und die alte Anna holte ein dickes Stück Kuchen unter ihrer Schürze hervor.

„Geh weg damit!" schrie Bassi plötzlich aufgebracht und schlug ihr den Kuchen aus der Hand, so daß er gleich im Maul des begeistert zuschnappenden Thor landete.

Anna starrte ihr „Goldkind" einen Augenblick verständnislos an. Dann zuckte sie mit den Schultern und ging fort, wobei sie ärgerlich murmelte: „Ja, nu' mußt du wohl auch noch maulen! Komm mit rein, Kari, und hilf Mutti, das Brüderchen baden!"

Kari folgte ihr. Sie schluchzte zwar noch ein paarmal, aber nun hatte sie doch nicht mehr soviel Mitleid mit Bassi. Wenn die so dumm war, das große Stück Trost-Kuchen einfach wegzuwerfen, sollte sie nur sehen, was sie davon hatte.

*

Langsam ging Bassi durch die große, weiße Pforte hinaus auf die Straße. Es kam ihr vor, als sei sie ganz allein auf der weiten Welt. Niemand kümmerte sich um sie, also konnte sie ja auch ebensogut ihrer Wege gehen. Auf einmal tauchte Graupelzchen neben ihr auf. Der kleine Kater machte ein paar Sprünge und stieß gegen ihre Hand, aber da Bassi offenbar nicht verstand, daß er hinterm Ohr gekrault werden wollte, gab er es auf und trabte vor ihr her, den Schwanz hochschwenkend wie einen Federbusch. Aus alter Gewohnheit faßte Bassi nach dem Schwanz, und gleich fühlte sie sich nicht mehr so einsam.

So gingen die beiden weiter die Allee hinunter. Bassi fiel ein, daß bei den Weiden Erdbeeren wuchsen, vielleicht waren noch welche dran. Aber dann entschloß sie sich, die Erdbeeren stehenzulassen. Nein, sie wollte weder Kuchen noch Beeren haben, überhaupt nichts, wenn alle so lumpig zu ihr waren! Bei diesem Gedanken begannen die Tränen zu fließen, und sie weinte nach Herzenslust vor sich hin. Das gefiel Graupelzchen nicht. Es drehte sich um und ging wieder nach Hause. Sollte es nur gehen — Bassi war es gleichgültig, dann war sie eben doch allein auf der Welt.

Immer noch ein wenig schnüffelnd näherte sie sich dem Dorf. Da war der rotlackierte Briefkasten, der an Schneidermeister Pedersens Hausecke hing. Bis hierhin durften sie und Kari manchmal allein gehen. Heute jedoch trippelten Bassis Füße wie von selber weiter. Bald war sie mitten im Dorf. Es war zwar nur klein, doch Bassi erschien es ungeheuer groß, und der Straßenverkehr war erschreckend. Da kam zum Beispiel der gelbe Milchwagen vom Gut Nordlien angefahren, vollbeladen mit großen und kleinen Milchkannen. Ein Auto überholte ihn, und dahinter radelte ein junges Mädchen im blauen Kleid. Wie fein sie fahren konnte! Bassi blieb stehen und starrte ihr bewundernd nach. Zur Sicherheit hatte sie sich in Schneidermeister Pedersens Hauseingang gestellt und ging erst weiter, als kein Fahrzeug mehr zu sehen war. Vor einem Haus hing eine riesengroße, vergoldete Brezel, und im Schaufenster lagen viele Sorten Kuchen, Rosinenschnecken und niedliche kleine Brötchen. Bassi dachte an das schöne Stück Kuchen, das sie fortgeworfen hatte. Das bereute sie jetzt sehr. Es wäre doch besser gewesen, es zur Stärkung mit auf die Reise in die große Welt zu nehmen.

Im nächsten Schaufenster gab es lauter herrliche Dinge zu sehen. Da waren Puppen und Gartenzwerge, Spielautos und Bilderbücher, Bälle und — Scheren! Bassi wandte sich rasch ab und ging weiter.

Auf einer Treppe lag schlafend ein Hündchen. Es hatte ein weißes Fell und ein schwarzes Schnäuzchen. Als Bassi es anredete, hob es den Kopf und schaute sie aus kleinen, schwarzen Perlaugen an. So etwas Niedliches hatte sie noch nie gesehen. Wenn sie doch ihren Malkasten bei sich hätte, dann würde sie ihm hübsche Rosen auf das weiße Fell malen, rote, blaue und gelbe. Aber nein, dafür bekam man bestimmt auch die Rute. Immer, wenn man etwas schöner und bunter machen wollte, dann war es verboten. Bassi seufzte und setzte ihren Weg fort. Der kleine Hund stand auf, streckte sich, gähnte und trottete hinter ihr her.

Ein Stück weiter die Straße hinab begegnete ihnen ein großer, grauschwarzer Schäferhund. Bassi und das Hündchen hofften beide, er möchte sie nicht bemerken, und sie machten sich ganz klein und versteckten sich hinter dem Pfosten einer Gartentür. Der Schäferhund kam näher. Er sah gefährlich aus. ‚Wenn doch bloß Thyra mitgekommen wäre', dachte Bassi ängstlich. Doch der Schäferhund beachtete sie nicht, der kleine

Weiße schien ihn zu ärgern. Er blieb vor ihm stehen und knurrte.

‚Du hast hier nichts zu suchen', hieß das, ‚pack dich nach Hause — aber hopp!'

Das weiße Hündchen winselte, was offensichtlich bedeuten sollte: ‚Ich geh ja schon, ich geh ja schon!' Denn es trippelte dabei rückwärts. Anscheinend wagte es nicht, dem Großen den Schwanz zuzudrehen.

Der Schäferhund knurrte weiter. Es klang so verächtlich wie: ‚Du kümmerliches Etwas! Uff, ganz schlecht kann einem bei deinem Anblick werden. So was sollte sich gar nicht Hund nennen dürfen.'

Bassi verstand alles, was die beiden sagten, und war in großer Sorge um den kleinen Hund. Schließlich war er ihr ja nachgelaufen, weil sie ihn angesprochen hatte.

Plötzlich tauchte noch ein Hund auf, so ein richtig bulliger mit einem braunen Fleck um das eine, einen weißen um das andere Auge. Jetzt mußte Bassi den Kleinen retten. Sie bückte sich und hob ihn auf den Arm. Doch da wurde der Schäferhund böse und schnappte nach ihrer Hand, und der andere Hund sprang an ihr hoch. Bassi schrie, und das Hündchen jaulte. Auf der anderen Straßenseite wurde eine Tür aufgerissen, eine Frau trat heraus und rief: „Laß sofort den Hund los, Kind!"

‚Nein, nie, nie!' dachte Bassi und rannte, mit den beiden großen Hunden hinter sich, quer über die Straße. Gerade in diesem Augenblick kam wieder der Milchwagen von Nordlien in flottem Trabe an, und Bassi lief dem Pferd direkt vor die Beine. Dann wußte sie nichts mehr, bis sie auf einem Sofa in einem fremden Zimmer wieder erwachte, und die Frau, die ihr aus der Tür zugerufen hatte, beugte sich über sie.

„Gott sei Dank!" sagte sie. „Dem Kind scheint ja nichts Ernstliches passiert zu sein."

„Nur ein paar Schrammen", sagte ein freundlicher, alter Mann, „das hätte schlimmer ausgehen können. Aber Pferde nehmen ja Rücksicht auf Menschen, wissen Sie, im Gegensatz zu Autos, die sind geradezu scharf drauf, ihnen was anzutun."

„Was bist du eigentlich für ein kleiner Junge?" fragte die

Frau freundlich. „Ich meinte doch, es gäbe kaum ein Kind hier im Dorf, das ich nicht kenne, aber dich hab' ich noch nie gesehen. Sie vielleicht, Herr Doktor?"

„Hm!" machte der Mann. „So wie der augenblicklich aussieht, würde ihn, glaub' ich, nicht mal die eigene Mutter wiedererkennen."

„Ich bin kein Junge", sagte Bassi beleidigt, „ich bin ein Mädchen."

„Oh, Verzeihung, mein Fräulein!" sagte der Doktor und lächelte liebenswürdig. „Da du so kurze Haare hast und Buxen an, glaubte ich, du seist ein Junge."

„Aber drin bin ich ein Mädchen", versicherte Bassi treuherzig.

„Soso! Und willst du uns nun auch verraten, wie du heißt?" fragte der Arzt und hatte Mühe, ernst zu bleiben.

„Bassi!"

„Und wie heißt dein Vati?"

„Na — Vati doch!"

„Und wo wohnst du?"

„Na, zu Hause doch!"

Der Arzt und die Frau sahen einander an und schüttelten die Köpfe.

„Was hast du denn mit deinen Haaren gemacht, Kind?" fragte nun die Frau.

„Pinsel gemacht — und Brüderchen gemalt!" erklärte Bassi und fing plötzlich an zu weinen, denn die Erinnerung an all ihr Unglück kam wieder über sie. Schweiß trat ihr auf die Stirn, und die Wunde dort begann erneut zu bluten. Der Doktor machte einen Verband darüber.

„Bassi will nach Hause", brachte die Kleine unter Tränen heraus, „zu Mami, und Anna, und Thyra."

„Thyra?" Der Doktor horchte auf. „Moment mal! Laß dich näher anschauen, Kleines! Bist du vielleicht von Solbakken? Soviel ich weiß, haben sie dort eine große Bernhardinerhündin, die Thyra heißt."

„Ach, natürlich!" rief die Frau. „Jetzt seh' ich's auch. Es ist doch erst eine gute Woche her, daß sie mit ihrer Mutter bei mir war, um ein Kleid anzuprobieren. Na, es war ja fast unmöglich, das Kind wiederzuerkennen, so wie es aussieht."

„Ich werde sofort nach Solbakken telefonieren", sagte der Arzt, „damit jemand herkommt und den kleinen Ausreißer abholt."

„Kennst du mich denn nicht mehr?" fragte die Frau. „Ich bin doch Frau Jörgine, die Schneiderin."

„Doch!" Jetzt erkannte Bassi die Frau, und sogleich waren alle Kümmernisse und Schmerzen vergessen. „Hast du Flicken?" fragte sie eifrig.

„Ja, gewiß doch, du sollst Flicken haben, mein armes Kleines!" Frau Jörgine lief hinüber in ihre Nähstube und kam mit einem ganzen Bündel Flicken zurück. Seidenflicken waren dabei in vielen Farben, Wollreste, die sich schön weich anfaßten, und herrliche bunte Leinenstücke.

„Darf ich mit allen spielen?" fragte Bassi beglückt.

„Aber gerne, Kindchen, wenn es dir Spaß macht. Sieh mal, hier geb' ich dir eine Schere und eine Stopfnadel, dann kannst du Puppenkleider nähen."

Bassi kam es vor, als sei sie im Paradies. Voll Eifer schnippselte sie drauflos. Erst als der Vater mit Sota und dem Wagen vor der Tür hielt, wurde sie wieder ängstlich. Zum erstenmal freute sie sich gar nicht, ihn zu sehen.

„Ich möcht' so gern noch ein kleines bißchen hierbleiben", bat sie, „bitte, bitte, lieber Pappi!"

„O nein, du kommst sofort mit nach Hause zu Mutti und Kari, verlaß dich drauf!" erwiderte der Vater. Dabei betrachtete er kopfschüttelnd das wunderliche kleine Geschöpf, das sein Kind sein sollte. Wo sich vorher blonde Löckchen ringelten, standen jetzt Borsten wie bei einem Igel, die Stirn trug einen dicken Verband und ein Auge war blau und fast ganz zugeschwollen. Die Spielhose mochte einmal hellblau gewesen sein. Jetzt war diese Farbe vor Schmutz- und Blutflecken kaum noch zu sehen. Aber das gesunde Auge strahlte vor Freude über die vielen Puppenlappen um sie herum.

Frau Jörgine brachte eine große Tüte und stopfte alle Stoffreste hinein. „Die nimmst du mit", sagte sie, „und wenn du sie verbraucht hast, kannst du wiederkommen und dir neue holen."

Doch Bassi hatte trotzdem keine Lust, heimzufahren. „Ich will hierbleiben!" verlangte sie weinerlich, und ihre kleine, schmutzige Faust hielt die Schere krampfhaft fest.

„Die Schere darfst du auch mitnehmen", sagte Frau Jörgine und fügte, zum Vater gewandt, hinzu: „Die ist ganz ungefährlich, denn mit den abgerundeten Spitzen kann sich das Kind nicht wehtun."

Frau Jörgine war doch der liebste Mensch auf Erden, fand Bassi, sprang vom Sofa und fiel der Schneiderin mit einem Freudenjauchzer um den Hals. Dann fuhr sie in bester Laune nach Solbakken zurück.

Nils kam auf den Hof, um Sota auszuspannen, dabei murmelte er verdrießlich: „Na, so was — diese Gören! Wenn's meine wären, sollten sie wohl ab und zu mal die Rute schmecken."

Er hatte eine alte, blaue Arbeitsjacke an, die so komisch hinten hochwippte, als er sich niederbückte, um das Geschirr von der Deichsel zu lösen. Bassi konnte der Versuchung nicht widerstehen. Blitzschnell hatte sie mit der neuen, „ganz ungefährlichen" Schere ein hübsches Dreieck in den Jackensaum geschnitten. Was mußte Nils auch immer so eklig sein und von „Rute" und so was reden! Zum Glück hatte es keiner gesehen.

Die Mutter kam heraus, nahm Bassi auf die Arme, trug sie nach oben, wusch sie vorsichtig und legte sie ins Bett. Nun war sie zu ihr viel zärtlicher als zu dem Brüderchen, und sie sagte, es sei gar nicht schlimm, daß Bassi sich die Locken abgeschnitten habe, und es sei auch gar nicht schlimm, daß sie das Brüderchen angemalt habe. Auf einmal war nichts mehr schlimm, Hauptsache Bassi war wieder da. Die Mutter brachte Schokolade und zwei Stücke Kuchen ans Bett — ja, die Mutti war doch die Liebste auf Erden, fand Bassi.

## Post für „Fräulein Kari"

Peter, der Briefträger, blieb vor dem weißen Gartentor stehen und trocknete sich den Schweiß von der Stirn, der ihm über sein rundes, gutmütiges Gesicht lief.

„He, du!" rief er Kari zu, die hoch oben in dem großen Schattenmorellenbaum saß, wo noch ein paar überreife und von Vögeln angepickte Kirschen hingen. „He, du, hier ist ein Brief für dich!"

„Hach, du verkohlst mich ja!" rief Kari zurück. „Das sagst du bloß, weil du dich nicht 'reintraust wegen Thyra, das weiß ich ganz genau."

Thyra schien es auch zu wissen. Sie lag unter dem Kirschbaum und ließ ein gefährliches Knurren hören. Es war unbegreiflich, was sie gegen Peter hatte, der immer so freundlich war und nichts anderes tat, als die Zeitung und die Briefe zu bringen.

„Sei still, Thyra!" befahl Kari. „Du bist ja albern. Jeder weiß, daß du keiner Katze was zuleide tust, also mußt du dich gar nicht darum kümmern, daß Peter ein bißchen Angst vor dir hat."

„Was sagst du? Der Köter tut keiner Katze was zuleide?" fragte Peter gekränkt. „Na, auf jeden Fall hat dein Vater schon zwei Hosen für mich bezahlen müssen. Du hast doch selber die Risse gesehen, die eure Hündin hineingemacht hat."

„Ich glaub' eher, dir war Bassi mit ihrer Schere zu nahe gekommen", rief Kari lachend von ihrem hohen Sitz herunter.

„Red' keinen Unsinn, sondern komm her!" verlangte der Briefträger. „Es ist nämlich wahr, daß ich heute einen Brief für dich habe." Er warf den Brief über den Zaun und ging schnaufend weiter.

Wieder knurrte Thyra.

„Du sollst still sein, hab' ich gesagt!" rief Kari von oben.

Aber Thyra hörte nicht darauf, im Gegenteil, sie erhob sich sogar, ihre Nackenhaare sträubten sich, und ihr Knurren klang nun richtig gefährlich.

Kari sprang hinunter, packte Thyra beim Halsband und schüttelte sie. „Hörst du nicht, was ich sage? Du mußt mir gehorchen, verstanden? Ich bin ein Mensch, aber du bist bloß ein Hund. Ich brauch's nur zu wollen, dann macht dich Nils genauso tot wie deine Jungen." Plötzlich erschrak sie heftig. Sie verstand gar nicht, wie sie so was Schreckliches hatte aussprechen können. Es war wie von selbst und ohne ihre Absicht herausgekommen. „Verstanden?" rief sie noch einmal und wie beschwörend. „Hast du mich verstanden?"

Thyra setzte sich und blickte Kari aus ihren treuen braunen Augen an. Noch nie hatte Kari einen so betrübten Ausdruck darin gesehen. Sie verbarg ihr Gesicht in dem weichen Fell und murmelte: „Nicht böse mit mir sein, Thyra, bitte nicht böse sein! Du weißt doch, ich hab kein einziges Wort so gemeint. Ich hab' dich doch viel lieber als alle andern — fast als alle andern."

Thyra leckte Karis Gesicht. Sie war doch gar nicht böse, nur sehr, sehr traurig. Kari mochte sich selbst nicht mehr leiden. Sie fand, daß sie ein richtiges Scheusal war.

„Entschuldige, Thyra", sagte sie mit einem Schluchzer, „nicht wahr, du verstehst, daß ich das nicht so gemeint habe."

Der große Hund blickte Kari liebevoll an und hob zur Bekräftigung seiner Nachsicht die dicke Vorderpfote.

„Liebe Thyra!" jubelte Kari glücklich. „Du bist doch meine beste Freundin. Wir beide werden immer zusammenhalten, nicht?"

Ratsch! machte es da. Eine Kralle von Thyras Pfote war im Täschchen von Karis Spielanzug hängengeblieben und hatte es nicht nur abgetrennt, sondern daneben auch noch einen langen Riß hinterlassen, und da Kari nichts drunter anhatte, guckte nun ihr nacktes Bäuchlein heraus. Einen Augenblick schauten beide betroffen auf den Schaden. Dann aber fielen Kari die Puppenlappen von Bassi ein. Oh, jetzt wollte sie Mutti zeigen, daß sie schon ein großes Mädchen war, das sich zu helfen wußte. Sie lief zu Bassi und zeigte ihr, was da passiert war.

Die kleine Schwester war sofort hilfsbereit und sehr interessiert an dem Fall. „Au ja, ich schneide dir gleich einen Flicken", schlug sie vor. Die beiden Mädel sahen den Vorrat an Stoffresten durch und einigten sich auf ein Stück hellroter

Seide mit weißen Punkten. Bassi wollte unbedingt selber nähen, denn es waren ja ihre Flicken und ihre Stopfnadel. Aber so einfach war das nicht, der Stoff wollte auf dem Riß nicht haften bleiben. Also mußte Kari sich auf den großen Tisch im Durchgang zur Küche legen, und Bassi beugte sich eifrig mit der Nadel in der Hand über sie.

„Du hast ja keinen Faden drin", sagte Kari, „so kann's natürlich nicht halten, du Dummkopf."

Bassi fand ein Wollknäuel, wickelte einen langen Faden davon ab, und Kari gelang es mit viel Mühe, ihn in das Öhr zu fädeln. Dann begann Bassi zu nähen. Doch es war zu ärgerlich, bei jedem Stich rutschte der Faden wieder aus der Nadel. Bassi lief in die Küche und beklagte sich bei der alten Anna. Die wußte wie immer Rat: sie nahm den Faden doppelt und verband die beiden Enden mit einem soliden Knoten, und eine frischgebackene Waffel gab's noch dazu. Kari lag noch immer geduldig auf dem Tisch und wartete. Großzügig gab ihr Bassi die Hälfte von der Waffel ab. Und da Kari einfiel, wie häßlich sie zu Thyra gewesen war, rief sie die Hündin herbei, um auch ihr einen Bissen zu geben.

Plötzlich stieß Kari einen Schrei aus — Bassi hatte sie mit der Nadel gestochen. Kari sprang vom Tisch, die Nadel steckte noch in der Haut.

„Ich hol' die Schere und schneid' sie raus", schlug Bassi vor. Aber da schrie Kari noch mehr, so daß Anna angestürzt kam in der Befürchtung, die Kinder schlügen einander tot, und es schien ihr wahrhaftig, als ob nicht viel daran fehlte. Ein kräftiger Ruck mit ihren groben Fingern, und schon war die Nadel heraus. Ein großer Blutstropfen rann hinterher.

„Na, du wirst dein Lebtag keine Schneiderin", sagte Anna zu Bassi, die im übrigen ganz zufrieden mit ihrem Werk war.

„Ich glaube, es ist am besten, ihr geht in Zukunft splitternackend", meinte Anna seufzend, „spring' mal raus aus dem Fetzen, Kari, ich werde sehen, was du sonst anziehen kannst."

Zur Gesellschaft zog auch Bassi ihr Spielhöschen aus, denn es war herrlich, so ganz ohne was auf dem Körper draußen in der Wärme herumzutollen. Die beiden sprangen zuerst ins Wasserbecken und planschten darin herum, dann machten sie Gymnastik auf dem Rasen. Kari war geschickt und gelenkig wie ein junger Hund. Vergeblich bemühte sich Bassi, die Bewegungen der großen Schwester nachzumachen, aber es gelang ihr nicht. Sie hatte außerdem genug damit zu tun, sich gegen Thor zu wehren, der gar zu gern mal in ihre rosenroten, kleinen Zehen beißen wollte. Zum Schluß kollerten Kind und Hund holterdipolter umeinander über den Rasen.

Plötzlich brach Bassi wieder einmal in einen ihrer berühmten Schreie aus, von denen die Mutter behauptete, sie müßten bis nach Oslo zu hören sein.

Anna kam herausgestürzt. „Was ist los, Kind? Hat Thor dich gebissen?"

„Au, au, mein Popöchen tut so weh!" schrie Bassi, hüpfte auf und nieder und hielt beide Hände auf ihr Hinterteilchen gepreßt, wo ein feuerroter Fleck prangte. Im Gras, wo sie herumgerollt war, lag surrend eine halbtote Biene.

„Ist doch bloß ein Bienenstich, das gibt sich bald wieder", tröstete Anna, nahm die Kleine mit ins Haus und strich Salmiak auf die schmerzende Stelle.

Kari fischte die Biene auf ein Schwertlilienblatt. Sie sah so elend aus, die Arme! Darum tat sie Kari leid, obwohl Bienen doch eigentlich nicht eben zu ihren besten Tierfreunden zählten. Die Verunglückte vorsichtig auf dem Blatt balancierend ging Kari ins Arbeitszimmer des Vaters.

„Sieh mal, Vati, die Biene hat Bassi gestochen, und nun ist sie sicher krank — die Biene, meine ich."

Der Vater unterbrach seine Arbeit und blickte auf. Eigentlich hatte er sie für sehr wichtig gehalten, aber nun interessierte ihn nichts so sehr wie das nackte, braune Menschenkind und das kleine, halbtote Geschöpf, das es ihm da anbrachte.

„Ja, die arme Biene muß sterben", sagte der Vater, „sie wird nie mehr von Blume zu Blume fliegen können und Blütenstaub sammeln. Bienen sterben immer, wenn sie ihren Stachel gebraucht und gestochen haben. Darum tun sie es auch nur, wenn es für sie um Leben und Tod geht, oder wenn der Bienenkorb in Gefahr ist."

„War es aber nicht sehr böse von ihr, daß sie Bassi gestochen hat?" fragte Kari unsicher.

„Wildlebende Tiere sind niemals böse" erwiderte der Vater, „sie werden es erst, wenn die Menschen sie zwingen, ein unnatürliches Leben zu führen. Sota würde niemals böse oder auch nur unwirsch sein, wenn sie auf einer Prärie in Südamerika, zusammen mit tausend anderen Pferden, frei herumgaloppieren könnte Die mögen es nämlich gar nicht, so ein lästiges Gebiß im Maul zu haben und Lasten zu ziehen. Es wird wohl auch kaum übermäßig lustig sein, meinst du nicht?"

Nein, das war es auch nach Karis Ansicht gewiß nicht, und so schlug sie vor, Sota gleich freizulassen, damit sie wieder froh und freundlich werde.

Doch der Vater schüttelte den Kopf. Dann müßte die arme Sota ja verhungern, meinte er, denn sie habe doch nicht gelernt, sich ihr Futter selbst zu suchen. Die Menschen dürften auch ruhig die Tiere zu ihrer Hilfe gebrauchen, es sei nur schlimm, wenn sie diese treuen Diener schlecht behandelten, die sich weder über ihre Not beklagen noch für sich selbst sorgen könnten. „Aber ich weiß ja genau", schloß der Vater, „daß du, meine kleine Kari, niemals böse zu Tieren sein kannst."

„Nein", sagte Kari, doch es kam ein wenig gepreßt heraus, denn Kari fühlte einen Kloß im Halse bei dem Gedanken an Thyras traurige Augen vorhin. „Aber Vati, zu den Kreuzottern können wir doch böse sein, weil sie uns totmachen wollen."

„Das wollen sie ja gar nicht, Kari", widersprach der Vater, „auch die Kreuzottern gehören zu den armen, verfolgten Tieren, die viel mehr Angst vor uns haben als wir von ihnen. Sie möchten sich am liebsten verkriechen und verstecken, und nur wenn wir aus Versehen auf sie treten oder ohne Grund angreifen, verteidigen sie sich eben mit den Waffen, die sie haben, genauso wie die Bienen. — Aber nun komm mal mit, ich will dir was Wunderbares zeigen." Der Vater stand auf, trat ans Fenster und hob die Käseglocke auf, die über der verpuppten Raupe stand.

Da saß ein großer, buntgemusterter Schmetterling. Er klappte ein paarmal vorsichtig mit den Flügeln, dann hob er sich in die Luft, flatterte noch etwas taumelig hin und her, und endlich schien ihm ernstlich klarzuwerden, daß er ja fliegen konnte, und er schwang sich leicht und graziös durchs Fenster und verschwand im Garten. Das einzige, was von seiner schwarzen, häßlichen Puppe zurückgeblieben war, war ein bißchen dunkler Staub.

„Wie Zauberei", sagte Kari verwundert, „das soll nun dasselbe Wesen sein: erst die garstige Raupe, dann die tote Puppe und jetzt der hübsche, leichte Schmetterling. Ich finde das viel wunderbarer, als wenn Thyra Junge kriegt oder wenn Küken ausschlüpfen."

„Alles ist gleich wunderbar", meinte der Vater, „es gibt nichts Großes und Kleines in der Natur. — Aber nun rasch wieder in die Sonne mit dir, du kleiner Nacktfrosch!" Der Vater nahm Kari bei der Hand und begleitete sie hinaus. „Nanu, was ist denn das?" er zeigte auf etwas Weißes, das an der Gartenhecke im Gras lag.

„Ach ja, da ist noch der Brief", sagte Kari, „den hatte ich ganz vergessen. Peter, der Briefträger, hat ihn rübergeworfen und gesagt, er wär' an mich. Aber damit wollte er mich natürlich bloß verkohlen."

Der Vater hob ihn auf. „Er ist wirklich an dich. Hier steht: An Fräulein Kari Berg, bei Herrn Ingenieur Berg — Solbakken."

„Von wem kann der wohl sein? Lies mal vor, Vati!"

Der Vater riß den Umschlag auf und las:

„Liebe Kari!

Ich wollte Dir nur sagen, daß ich es wirklich ernstgemeint habe, daß wir Freundinnen sein sollen, und ich war die ganze Zeit ganz traurig, weil ich so lumpig zu Dir gewesen bin, als Du abgereist bist. Und ich kann gar nicht verstehen, wieso ich so war. Denn ich meinte das gar nicht so, aber auf einmal kam das. Und Clara wartet auf Dich, und denk mal, sie will gar nicht mehr Mama zu mir sagen, seitdem Du sie mir an den Kopf geschmissen hast, will sie das nicht mehr, weil sie weiß, daß Du ihre Mama sein sollst. Anna-Lise wohnt hier gleich um die Ecke herum, und früher haben wir immer am selben Badeplatz gebadet, aber jetzt haben ihre Eltern einen anderen ausgesucht, und da sind furchtbar viele fremde Mädchen, und nun sind wir keine Freundinnen mehr. Ich wünsche mir sehr, daß Du herkommst und mich wieder besuchst. Wir haben jetzt Sommerferien, und wir könnten es so lustig haben, dreimal am Tag baden, es sind noch keine Quallen da. Vati hat ein Segelboot gekauft, aber wir können noch nicht damit fahren, weil Vati noch nicht gut segeln kann. Aber hier ist ein Junge, der heißt Halle, der fährt uns mit seinem Motorboot. Das macht Spaß, bloß ich müßte noch jemand haben, mit dem ich spielen kann. Du mußt bald kommen.

Deine Freundin Sössa."

Darunter hatte Tante Molla noch selbst geschrieben, Kari sei herzlich willkommen, und sie möge doch für den Rest der Ferien, also noch vierzehn Tage, hinkommen.

„Na, was sagst du dazu?" fragte der Vater. „Hast du Lust, hinzureisen?"

Kari wußte es noch nicht so recht. Natürlich hatte sie Lust zu der Reise, aber andererseits mochte sie auch nicht gern von allen hier zu Hause wegfahren.

„Selbstverständlich reist sie!" sagte die Mutter bestimmt. „Die Luftveränderung wird dem Kind guttun, und außerdem wird es Zeit, daß es unter andere Menschen kommt. Kari wird schon schwerfällig wie eine Landpomeranze."

„Ich finde, es gibt gar nichts Besseres, was sie werden könnte, als eine Landpomeranze", meinte der Vater. „Aber ich glaube wirklich, daß Sössa sich nach ihrer Kusine sehnt, ganz zu schweigen von Clara", fügte er mit einem verschmitzten Augenzwinkern zu Kari hinzu.

Kari hatte der Puppe Clara gegenüber wirklich ein schlechtes Gewissen. Es war häßlich von ihr gewesen, das arme, unschuldige Puppenkind der Kusine an den Kopf zu werfen.

Es war also beschlossene Sache, daß Kari reisen sollte. Zuerst nahm die Mutter sie mit zur Schneiderin Jörgine, um neue Strandanzüge zu bestellen, einen blauen mit Jäckchen und einen roten, der den Rücken freiließ. Das sei der letzte Modeschrei, behauptete Frau Jörgine. Dazu kam noch ein leichtes, geblümtes Sommerkleid mit Petticoat.

„Glücklicherweise geht Thyra nicht mit", meinte die Mutter, „sonst würde es sich kaum lohnen, für dich etwas Neues machen zu lassen."

Kari war mächtig stolz auf ihre neuen Sachen und nahm sich wohl in acht, sowohl vor Thyra als auch vor Bassis Schere.

Und dann kam die Stunde des Abschieds. Er fiel Kari diesmal nicht so schwer, weil der Vater sie begleitete. Da sie nicht viel Gepäck hatten, fuhren sie diesmal nicht mit dem Zug, sondern mit dem kleinen Fährschiff über den Fjord. Das ging schneller, und außerdem war Kari noch nie damit gefahren. So bedeutete allein dies schon ein großes Erlebnis für sie. Ein Warum und Wieso folgte dem andern, doch der Vater wurde nicht müde zu erklären und zu erzählen. Ach, es war zu schön, ihn viele Stunden lang ganz für sich allein zu haben.

## Sommer am Strand

Ein strahlendes kleines Mädchen ging in Batvika von Bord, wo Onkel Hans und Tante Molla ihr Sommerhaus hatten. Tante Molla stand auf der Landungsbrücke, elegant wie immer, in langen Strandhosen und nur mit einem bunten Tuch obenherum. Sössa neben ihr trug genau denselben Anzug. Sie war so braungebrannt, daß Kari sie fast nicht wiedererkannte. Onkel Hans war auch da; im weißen Hemd und weißer Hose wirkte er noch dicker als sonst.

„Warum hast du denn nicht auch einen nackten Rücken, Onkel Hans?" fragte Kari, als sie den Onkel auf dem ganzen Weg bis hinauf zum Haus über die Hitze stöhnen hörte.

„Weil mein Rücken keinen übermäßig erfreulichen Anblick bietet, meine junge Dame", erwiderte der Onkel. Er sagte immer so was Komisches, aber er war sehr nett.

Das Haus sah ganz anders aus als das, welches Kari in Oslo gesehen hatte. Es war ein großer Glaskasten mit Unmengen von Blumen draußen und drinnen. Aus allen Fenstern hatte man einen weiten Blick über das Meer mit seinen Inseln und Schären, seinen Booten und weißen Segeln.

Sössa hatte es eilig, Kari überall herumzuführen. Dabei überwanden sie rasch die Verlegenheit, die sie anfangs voreinander empfunden hatten, und nun ging es ans Erzählen. Was hatten sie aber auch alles erlebt, seit sie das letztemal zusammen waren. Clara hatte ein neues, weißes Kleid an mit hellblauem Gürtel, und sie machte wirklich ein frohes Gesicht, als Kari sie in den Arm nahm.

„Ist sie nicht fein?" fragte Sössa. „Ich durfte ihr ein fertiges Kleid kaufen, damit sie recht hübsch für dich ist, weil — weil ich doch so eklig zu dir war, weißt du", fügte sie leise und mit abgewandtem Gesicht hinzu.

Kari fand es etwas peinlich, daß die Kusine davon anfing, denn ganz richtig hatte sie selber sich ja auch nicht gerade benommen.

„Ach, red' kein dummes Zeug", sagte sie darum und drückte die Puppe an sich.

„Ma-ma!" sagte Clara.

„Siehst du?" jubelte Sössa. „Das hat sie kein einziges Mal mehr gemacht seit damals. Die ist vielleicht klug, was?"

Kari nickte. Wenn Clara bloß nicht so schrecklich fein wäre! Nie im Leben würde Astrid-Margarethe so vornehm aussehen, selbst wenn man sie noch so schick anzöge. Und sollte etwa Bassi der Clara mit der Schere zu nahe kommen und ihr womöglich die Haare abschneiden, oder ihr das Gesicht anmalen, würde sie gewiß nie wieder Mama sagen.

Karsten kam angeschlendert. Er hatte noch viele Sommersprossen hinzubekommen und sah noch lustiger aus als früher. Sein Haar war von der Sonne fast weißblond geworden, und seine Augen leuchteten noch blauer. Kari fand, daß er der hübscheste Junge sei, den sie je gesehen hatte.

Auch Karsten musterte die Kusine wohlgefällig. „Mir scheint, du bist gewachsen. Hast du Lust, das Rote Meer zu sehen?"

Kari stimmte zu. Sie liefen zur Brücke hinunter, und Karsten machte ein Boot los.

„Darfst du denn alleine rudern?" fragte Kari bewundernd.

„Weiter fehlte genau nix!" sagte Karsten großspurig, griff nach den Riemen und holte kräftig damit aus. Nicht lange, so öffnete sich vor ihnen ein schmaler Spalt in der kahlen Felswand. Das Wasser hatte hier so starke Strömung, daß es aussah wie ein Fluß.

„Das nennen wir hier das ‚Rote Meer'", stellte Karsten vor und zeigte hinunter. „Guck mal, Kari!"

Kari schaute über Bord. Das Wasser war klar wie Glas, und auf dem Grund wuchsen die wunderlichsten Blumen. Sie wiegten sich in der Strömung, in allen Farben des Regenbogens strahlend.

„Oh, wie schön!" rief Kari. „Halt mal an, Karsten, die muß ich mir genau angucken. So schöne Blumen hab' ich noch nie gesehen. Kann ich mir davon welche pflücken?"

„Das sind keine Blumen, sondern so eine Art Tiere", erklärte Karsten, „Seeanemonen heißen die. Du kannst welche haben." Er beugte sich über den Bootsrand, tauchte den Arm tief ins Wasser und holte ein paar von den „Blumen" herauf.

Aber kaum lagen sie auf der Ruderbank, sahen sie gar nicht mehr so schön aus, sondern wie schleimige, bräunliche Klumpen.

„Wirf sie wieder rein", sagte Kari, „ist ja schade um sie, wenn das Tiere sind."

„Fängst du schon wieder an mit deiner verrückten Tiernarrheit?" fragte Sössa und lachte.

Sie fuhren ein Stück weiter. Bald wurde die Wasserfläche zwischen den Felsen wieder breiter, ruhiger und spiegelblank, und auf dem seichten Grund schimmerte weißer Sand. Die Kinder stiegen aus, zogen den Kahn auf den Strand einer kleinen Insel und wateten ins Wasser.

„Das dürfen wir, so oft wir wollen", versicherte Sössa, „auch wenn wir zweimal am Tag gebadet haben." Und damit ließ sie sich unbekümmert in das nasse Element fallen. Es war herrlich warm und konnte darum auch nicht schaden.

Kari ging lieber langsam umher, denn es gab auf dem hellen Grund soviel Merkwürdiges zu sehen. Vor allem interessierten sie die kleinen Krebse, die da kreuz und quer krabbelten.

„Paß auf, Kari", warnte Karsten, „daß sie dich nicht in die Zehen kneifen."

„Ach was!" Kari hatte jetzt keine Zeit, auf ihre Zehen zu achten, denn eben kam ein prächtiger, grünlicher Krebs bedächtig daher, und direkt zu ihren Füßen stürzte aus einem Versteck aus dunklem Tang ein anderer hervor, ein ganz großer, rötlich-brauner. Gleich darauf hatten sich die beiden in einer wilden Balgerei bei den Scheren. Es war aufregend anzusehen. Sie wühlten den Sand um sich auf, so daß sie schließlich kaum noch zu erkennen waren. Kari holte die Schöpfkelle aus dem Boot und steckte sie zwischen die Kämpfenden. Da erschraken sie, krabbelten eilig jeder in seine Richtung davon und waren im nächsten Augenblick spurlos verschwunden. Kari wollte sich schieflachen.

Rundum verstreut in dem flachen Wasser fand sie niedliche kleine Sterne, die bunt schimmerten, hauptsächlich blau und violett. Seesterne seien das, sagte Karsten, und Kari stopfte sich die Taschen damit voll und noch vieles andere mehr, das ihr gefiel. Es machte ihr gar nichts, daß Vetter und Kusine sie auslachten und fragten, was sie denn um Himmels willen damit anfangen wolle.

Am meisten Spaß machte es Kari, auf dem Bauch zu liegen und sich in einer seichten Rinne den Grund von nahem anzusehen. Was gab es da alles zu entdecken. Winzig, winzig kleine runde Fische schwabbelten quer darüberhin. Karsten erklärte ihr, daß es Flunder-Babys seien, und die kleinen Krabben, die in einem Büschel Tang herumwimmelten, nannte er Tangflöhe.

Der Vater und er benutzten sie als Köder beim Angeln, sagte er, wenn sie ganz frühmorgens zum Fischen hinausführen. Keiner der drei bemerkte, wie die Sonne tiefer und tiefer sank, bis auf einmal weit fort eine Glocke zu hören war.

„Was?" rief Sössa. „Läuten die wirklich schon zum Abendbrot?"

„Die Glocke hab' ich schon ein paarmal gehört", sagte Kari, „ich wußte nur nicht, was das bedeutet."

„Na, zu Hause werden sie sich womöglich ängstigen", meinte Sössa, „ich hab' nämlich vergessen zu sagen, wo wir hingerudert sind."

Im gleichen Augenblick kam ein Boot um die Landzunge

herum. Onkel Hans saß darin und ruderte, daß ihm der Schweiß übers Gesicht lief.

„Ihr seid mir ja vielleicht ein paar Racker!" rief er den Kindern entgegen. „Hab' ich's mir doch gedacht, daß ihr alles vergeßt, sogar das Essen, über den vielen See-Ungeheuern, die hier herumkrabbeln."

Kari war etwas verlegen, denn sie glaubte, Onkel Hans sei ernstlich böse. Aber Sössa hüpfte in sein Boot, umarmte ihn und gab ihm einen Kuß.

„Jetzt ist auf einmal alles viel lustiger, seitdem Kari da ist", sagte sie strahlend, „ich freu' mich schon auf morgen."

*

Am nächsten Vormittag ruderte Onkel Hans sie alle zum Prestholm hinüber, einer Strandinsel mit feinem, weißem Sand. Stundenlang durften sie hier bleiben, baden, spielen und sich sonnen, wie es ihnen gerade gefiel. Dazwischen aßen und tranken sie von dem reichlichen und leckeren Proviant, den Tante Molla ihnen mitgegeben hatte.

Kari war bald ebenso geschickt im Schwimmen wie Sössa, und sie lernte noch allerlei Künste hinzu wie Rückenschwimmen, Kopfsprünge machen und tauchen. Jedenfalls glaubte sie, daß sie wie ein Fisch tief unten im Wasser geschwommen sei. Tauchte sie dann aber völlig außer Puste auf, so lachten die andern und behaupteten, nur ihr Kopf sei unter Wasser gewesen, das Hinterteilchen habe hoch aus dem Wasser geragt. Aber eines Tages gelang es ihr doch, die Gesellenprüfung abzulegen: Sie schwamm unter dem Boot durch! Onkel Hans war fast ebenso stolz wie Kari selber, und er schenkte ihr zur Belohnung ein funkelnd neues Kronenstück, das sie ganz nach Belieben verwenden sollte. Soviel Geld hatte Kari noch nie besessen, und sie konnte sich noch gar nicht vorstellen, was sie davon alles kaufen sollte. Sie hätte gern ein paar schöne Geschenke mit nach Hause gebracht, aber hier in der Nähe gab es nirgends Geschäfte.

Der Prestholm hatte außer dem Strand auch eine hohe Felsenspitze, die zum Teil mit Wiesen und Wald bewachsen war. Hier lebten zwei Zicklein, die ein Bauer für die Sommermonate auf der kleinen Insel ausgesetzt hatte. Sie schienen sich sehr zu langweilen, vielleicht sehnten sie sich auch nach ihrer Mutter. Jedenfalls meckerten sie hocherfreut, wenn das Boot mit Kari, Karsten, Sössa und ihren Eltern dort landete, und sie wateten ein Stück hinter ihm her ins Wasser hinein, wenn es abfuhr. Dann schauten sie so betrübt drein, daß Kari überlegte, ob sie Tante Molla wohl mal darum bitten sollte, ihr soviel zu essen mitzugeben, daß sie den ganzen Tag bei den Tierchen bleiben konnte, die sie „Moni" und „Mette" getauft hatte. Aber Tante Molla meinte, wenn die Zicklein das Boot nicht mehr sähen, hüpften sie auf ihre Weide zurück und hätten den unterhaltsamen Besuch gleich wieder vergessen.

Eines Tages, als die Familie zum Baden auf dem Prestholm war, kam Halle mit dem Motorboot angefahren. Halle war der Sohn des Bauern, dem die Zicklein gehörten, und der an die Sommerhäuser Milch, Eier und Fleisch lieferte.

„Komm mit uns baden, Halle!" riefen Karsten und Sössa. „Zeig uns neue Kunststücke!"

„Keine Zeit!" rief Halle zurück. „Muß heute die Zicklein holen!"

„Warum holst du sie weg?" fragte Kari.

„Weil sie geschlachtet werden sollen", antwortete Halle.

Das war ein schwerer Schlag für Kari. Oh, wie schrecklich war doch das Leben. Warum waren nur die Großen so böse! Schluchzend warf sie die Arme um den Hals eines der Zicklein. Es knabberte an ihrem Haar, dann sprang es an ihr hoch und schlug mit den kleinen Hufen, um sie zum Spielen aufzufordern.

„Böser Halle!" rief Kari unter Tränen. „Du sollst sie nicht totmachen! Nein, das darfst du nicht!"

Unschlüssig stand Halle da. Was sollte er tun? Das Mädel war ja ganz außer sich. Es schlug mit den Fäusten auf ihn ein und schrie ihm die schlimmsten Beschimpfungen zu, die es wußte.

„Nun beruhige dich doch, Kindchen", sagte Tante Molla. „Sieh mal, wenn alle Zicklein am Leben bleiben würden, dann wäre ja bald kein Platz mehr für andere Wesen auf der Erde.

Und du weißt doch, wie gut sie schmecken, nicht wahr? Ich habe doch gesehen, wie ordentlich du zugelangt hast bei dem Frikassee, das wir gestern hatten."

„Ich hab' doch nicht gewußt, daß es von so süßen, kleinen Zicklein war", brachte Kari unter Schluchzen heraus, „ich kannte sie ja noch gar nicht. Aber jetzt will ich nie mehr Frikassee essen — nie mehr!"

„Auch keinen Lammbraten?" fragte Karsten. Der war nämlich sein und Karis Leibgericht.

„Nein, auch nicht!" sagte Kari, fügte dann aber einschränkend hinzu: „Ich glaube jedenfalls."

Onkel Hans war inzwischen ein Stück hinausgeschwommen. Es war Karstens ganzer Kummer, daß es ihm immer noch nicht gelang, mit soviel Ausdauer zu schwimmen wie sein Vater. Aber die Mutter hatte ihn getröstet, er solle nur warten, bis er auch so dick sei wie der Vati, dann könne er es auch, denn Fett schwimme oben. Jetzt kam Onkel Hans in einer Fahrt wie ein Schiff mit Volldampf zurück, stieg ans Ufer, schüttelte sich wie ein Seehund und trat zu den andern.

„Was ist denn hier für ein Aufruhr?" fragte er.

Kari warf sich ihm entgegen, umschlang ihn, soweit das bei seinem Umfang möglich war, und drückte ihren Kopf an seinen nassen Badeanzug. „Halle will aus Moni und Mette Frikassee machen", berichtete sie weinend.

„Drück mir bitte nicht den Magen ein", sagte Onkel Hans. „Ich habe in meinem Leben soviel Frikassee gegessen, daß ich diese Art von Massage nicht gut vertrage. — Ja, weißt du, mein Kind, für Moni und Mette hat nun die Stunde geschlagen. Irgendwann muß schließlich jeder mal in den Suppentopf."

„Aber sie sind doch lieb und so vergnügt", wandte Kari ein.

„Ja, allerdings, das sind sie", gab Onkel Hans zu.

Plötzlich hatte Kari eine großartige Idee: Sie hatte doch Geld! Und für Geld konnte man alles kaufen.

„Halle!" rief sie. „Du bekommst meine ganze Krone für Moni und Mette. Ich kauf' sie dir ab."

„Ein flottes Angebot!" sagte Halle und kratzte sich hinter den Ohren.

„Ich denke, da solltest du einschlagen", meinte Onkel Hans und zwinkerte ihm zu.

„Na, meinetwegen", sagte Halle, „komm mal heute nachmittag mit deiner Krone, dann kannst du die Zicklein gleich mitnehmen."

Karsten und Sössa freuten sich mit Kari, und Moni und Mette sprangen so übermütig um sie herum, als hätten sie den Handel begriffen und freuten sich auch. Weniger begeistert war Tante Molla, und Birgit erst, als sie davon hörte, machte ein Gesicht wie eine Gewitterwolke.

„So eine Idee!" brummelte sie. „Darauf bist du wohl gekommen, Kari, was?"

Kari hielt sich vorsichtshalber für den Rest des Nachmittags in der Nähe von Onkel Hans auf. Er hatte sie zu Halle begleitet, als sie ihre Krone ablieferte, und selbst noch einen Schein dazugelegt, über den sich Halle offensichtlich viel mehr freute als über das blanke Kronenstück, obwohl er längst nicht so schön aussah.

Moni und Mette schien die Ortsveränderungen gut zu gefallen. Besonderen Wert legten sie auf die Blumen im Garten. Diese Sorten hatten sie anscheinend noch nicht gefressen. Furchtlos griffen sie den Rittersporn an, obwohl er größer war als Onkel Hans, und die Rosen pflückten sie zierlich ab und kauten sie langsam und mit Genuß. Als sie abends in den Holzschuppen eingesperrt werden sollten, waren sie nirgends zu finden. Plötzlich ertönte ein Geschrei aus der Speisekammer, und heraus kamen zunächst die beiden Zicklein in wildem Galopp. Ihre Gesichter sahen aus, als hätte man sie in einen gelben Farbentopf getaucht. Hinter ihnen her rannte Birgit, den Handfeger schwingend und rot vor Zorn.

„Diese Unglücksraben!" rief sie. „Zwei Dutzend Eier haben sie mir im Korb zertrampelt und aufgefressen."

„Nun machen Sie's mal halb so wild", sagte Karsten vorlaut, „Sie tun ja, als ob Sie sie gelegt hätten."

Birgit brummte ärgerlich, ging in die Küche zurück und warf die Tür zu.

„Ich glaube, die Zicklein hätten sich als Frikassee doch besser gemacht", meinte Onkel Hans nachdenklich.

„Onkel Hans!" rief Kari drohend. „Die hab' ich gekauft und bezahlt. Das sind meine, und niemand darf sie mir weg nehmen!"

„Natürlich nicht!" begütigte Onkel Hans. „Aber jetzt wollen wir sie lieber für die Nacht einsperren, dann machen sie wenigstens bis morgen früh keine Dummheiten — sofern sie nicht die Axt verschlucken oder den Hauklotz fressen."

Schon früh am nächsten Morgen war Kari unten, um Moni und Mette herauszulassen. Sie waren außer Rand und Band vor Freude und liefen mit hinunter zur Brücke, wo alle ihr Morgenbad nahmen. Kari wollte auch die Zicklein mit ins Wasser locken, aber zum Baden hatten sie keine Lust, sondern trabten zum Haus zurück. Als bald darauf die Glocke zum Frühstück läutete, rannte auch die ganze Familie mit knurrendem Magen wieder hinauf.

Doch was mußten sie da sehen? Mitten auf dem appetitlich gedeckten Tisch auf der Veranda stand Moni und fraß aus der Salatschüssel, während Mette, die Hinterbeine auf einem Stuhl, die Vorderbeine auf dem Tisch, an einer Pampelmuse knabberte. Als Tante Molla sie fortscheuchte, meckerten sie liebenswürdig. Es klang wie „Danke schön!" Jedes nahm rasch noch ein Maul voll, dann sprangen sie auf den Boden. Aber, o weh! Über die ganze hellgrüne Tischdecke verstreut lag etwas, das auf den ersten Blick aussah wie Blaubeeren. Aber diese runden, dunklen Kügelchen waren leider was ganz anderes. Moni hatte sie wohl zum Dank hinterlassen.

„Birgit, kommen Sie mal schnell her!" rief Tante Molla. „Wie konnten Sie nur den Tisch unbeaufsichtigt lassen, wenn diese Racker hier sind?"

Birgit kam und war empört. Sie sei, wie sie sagte, in die Küche gegangen, als sie sah, daß die kleinen Biester mit zum Strand hinunterliefen. „Meine Mutter sagt immer: Ziegen sind Freßmanns Tiere", sagte sie, „und mir scheint, sie hat recht."

„Also, das geht nicht!" erklärte Tante Molla mit Bestimmtheit, während Birgit den Tisch abräumte und ein frisches Tuch auflegte. „Entweder kommen die Zicklein wieder weg, oder wir gehen, nicht wahr, Birgit?"

Birgit nickte mit finsterer Miene.

Zum Glück fand Onkel Hans Rat. Nachdem sie gefrühstückt hatten, nahm er Kari bei der Hand und wanderte mit ihr zu Halle.

„Guten Morgen!" sagte Halle, der gerade beim Holzhacken war. „Na, Kari, wie machst du dich denn so als Ziegenhirtin?"

„Birgit nennt Moni und Mette ‚Rackerpack'", berichtete Kari betrübt, „bloß weil sie genauso gerne wie wir Rührei essen — und Salat und Pampelmusen und so was."

„Ja, und darum wollten Kari und ich anfragen, ob wir leihweise eine Weide für unsere Herde bekommen könnten", fügte Onkel Hans hinzu.

Halle nickte. „Läßt sich machen! Die bringen wir einfach wieder auf den Prestholm."

„Das wird wohl das beste sein", meinte Onkel Hans, „andernfalls verlassen mich nämlich sowohl meine Frau als auch mein Hausmädchen."

Also wanderten die Zicklein zurück auf ihren gewohnten Weideplatz, und Kari konnte dort wie bisher täglich mit ihnen spielen.

Doch nun fing es merklich an, jeden Abend früher dunkel zu werden, und Karsten stellte fest, daß bald die Schule wieder losginge. Er sollte zum Herbst auf die Mittelschule kommen und fühlte sich den Mädchen gegenüber wie ein erwachsener Mann.

„Ich freu' mich mächtig", sagte Sössa, „es ist richtig gemütlich in Fräulein Petersens Privatschule."

Kari blieb stumm. Vor nichts graute ihr so wie vor der Schule, in die sie von nun an auch gehen sollte. Es schien ihr, als liefen die Tage hier immer schneller fort. Sie reichten kaum dazu aus, um zu schwimmen, am Strand im seichten Wasser zu waten und merkwürdige Tiere zu sammeln, mit den Zicklein zu spielen, bei Halle Milch zu holen und in den großen Kirschbaum zu klettern, um die letzten Schattenmorellen zu naschen. Trotzdem hatte Kari, wenn sie und Sössa sich abends in die komischen Wandklappbetten legten, immer etwas Sehnsucht nach Hause. Es war eben doch etwas ganz anderes, sich schlafen zu legen, wenn Mutter die Decke über einen legte und das Nachtgebet mit einem sprach. Am liebsten hätte Kari ein bißchen geweint, aber meist kam der Schlaf, bevor sie soweit war.

Und so kam endlich doch der letzte Tag heran. Die Kinder hatten furchtbar viel zu tun: sie mußten von all ihren Lieblingsplätzen Abschied nehmen. Karsten machte einen Kopfsprung von der Landungsbrücke, die so hoch war, daß die Mädel vor Schreck und Staunen die Luft anhielten. Was der Karsten sich alles traute! — Dann ruderten sie hinüber zum Prestholm. Moni und Mette sahen sie schon von weitem und kamen ihnen wie immer entgegengehüpft. Kari freute sich sehr, daß sie sie mit nach Solbakken nehmen konnte. Sie hatte sich entschlossen, Mette der kleinen Schwester zu schenken. Was Thyra und Graupelzchen zu den neuen Spielkameraden sagen mochten? Ach, wie schön, bald wieder zu Hause zu sein! Kari schlug vor Freude ein Rad nach dem andern über den Strand.

„So, nun packt alles zusammen, Kinder!" rief Tante Molla. Es gab vor der Abreise im Hause noch so viel zu tun, daß sie heute nicht so lange wie sonst bleiben konnten. Während sie zum Boot gingen, rief Kari:

„Moni, Mette — kommt, kommt!"

Vergnügt kamen die Zicklein angesprungen. Tante Molla blieb stehen und starrte Kari erschrocken an.

„Du meinst doch wohl nicht im Ernst, daß du sie mitnehmen kannst?"

„Ja natürlich nehm' ich die mit — sie gehören mir doch!"

„Nein, Kari, glaub, mir, das geht auf keinen Fall! Was meinst du wohl, was deine Mutti dazu sagen würde? Sie hat wahrhaftig auch so genug zu tun."

Tante Molla schob Kari energisch ins Boot und griff nach den Rudern. Onkel Hans war heute nicht mitgekommen, sondern zur Post gegangen mit einem Telegramm.

Kari war völlig sprachlos. Das konnte doch nicht wahr sein!

Aber das Boot entfernte sich immer weiter vom Prestholm und näherte sich bereits dem anderen Ufer.

„Bäh-bäh-bäh!" meckerten die Zicklein wehmütig hinter ihnen her. Sie waren wie immer ein Stück hinterhergewatet, dann aber umgedreht und auf einen großen Stein gesprungen, von wo aus sie eine weite Aussicht hatten.

„Du mußt auch deine Muscheln und all die vielen anderen Sachen, die du gefunden hast, zusammenpacken", sagte Tante Molla zu Kari. Sie merkte wohl, daß das Mädel ungewöhnlich schweigsam war, meinte aber, das werde sich schon mit der Zeit geben. Es ging doch wirklich nicht, daß man jeder verrückten Laune der Kinder nachgab.

Das schöne Wetter schien sich nun auch verabschieden zu wollen. Der Himmel hatte sich bezogen, ein heftiger Wind kam auf, und große Regentropfen trommelten auf das Dach der Veranda. Immer lebhafter bewegte sich die See, und ihre Wellen schwappten und klatschten gegen die Brückenpfeiler.

„Pfui, so ein Wetter!" sagte Onkel Hans, der triefend naß von der Post heimkehrte. „Gut, daß wir bald wieder in der Stadt sind, was, Kinder? — Na, Kari, freust du dich gar nicht auf zu Hause? Du schaust so mufflig drein."

„Och — doch!" sagte Kari und ging rasch ins Kinderzimmer.

Tante Molla zwinkerte ihrem Mann zu und legte den Finger auf den Mund. „Am besten beachtest du sie gar nicht", flüsterte sie ihm zu.

Die Kinder durften sich die letzten Eier aus der Speisekammer holen und mit viel Zucker und Zitronensaft zu Krem schlagen. Aber dieser „Eierschnaps", wie sie es nannten, schmeckte Kari heute nicht. Sie hockte auf der Bettkante und dachte nach.

„Gute Nacht, ihr beiden!" sagte Tante Molla zu den Mädeln. „Denk mal, Kari, morgen bist du wieder bei deiner Mutti. Ist das nicht fein?"

Kari nickte nur. Langsam zog sie sich aus und ging ins Bett. Aber einschlafen konnte sie nicht.

*

Nun schliefen gewiß alle. Der Wind rauschte im Kirschbaum, und Regentropfen klatschten gegen die Fensterscheiben des Kinderzimmers.

„Meine armen Zicklein", dachte Kari, „die sind jetzt ganz naß und frieren." Leise stand sie auf und zog sich ihre Kleider wieder an. Dann schlich sie behutsam aus dem Zimmer und die Treppe hinab.

Unten in der Garderobe fand sie eine Windjacke, die Onkel Hans gehörte. Die zog sie über ihre Sachen und setzte sich einen großen Südwester auf den Kopf. Dann öffnete sie die Tür und huschte hinaus in den Garten. Es kam ihr vor, als sei es ein ganz anderer Garten als der, den sie kannte. Es rieselte und raschelte, tuschelte und trappelte überall, und manchmal heulte es richtig unheimlich in den Pappeln unten an der Brücke. Nein, behaglich war es hier draußen wahrhaftig nicht. Kari kehrte um, schlich ins Haus zurück und nahm die Puppe Clara unter den Arm, die vom Spielen im Garten heute nachmittag noch in der Diele saß. So, nun hatte Kari Gesellschaft.

Plötzlich hörte sie eine Stimme oben im Kirschbaum, und sie erschrak heftig.

„Du-hu? — Du-hu?" rief es von oben herab. Es klang, als wollte sie jemand vor dem Unternehmen, das sie plante, warnen. Wer mochte um Himmels willen dort sitzen und sie beobachten? Herzklopfend blieb Kari stehen und lauschte. Da hörte sie es wieder, das warnende „Du-hu?" Ach — jetzt mußte Kari lachen — das war doch die große Eule, die sie abends schon ein paarmal in dem Baum hatte sitzen sehen. Die brauchte sich ja nun wirklich nicht in ihre Angelegenheiten zu mischen. Was ging sie Moni und Mette an, die so allein und verlassen auf dem Prestholm standen und niemanden mehr hatten, der lieb zu ihnen war?

Es war ziemlich schwierig, das Boot von der Brücke loszumachen, denn es hüpfte und schwankte unruhig hin und her. Doch endlich gelang es Kari. Sie nahm in jede Hand eines der großen Ruder und begann, über die schwarze See zu rudern. Sie konnte es wohl, Karsten hatte es ihr beigebracht und sie gelobt, wie geschickt sie es mache.

Draußen vor der Spitze des Fjords blinkte das Leuchtfeuer zu Kari herüber — rotes Licht — gelbes Licht — rotes Licht — gelbes Licht. Das war tröstlich, so fühle man sich doch nicht ganz einsam. Sie hätte vielleicht Karsten bitten sollen, mitzukommen, er hätte es ihr sicher nicht abgeschlagen. Nun, jetzt war es jedenfalls zu spät, darüber nachzudenken.

Das Boot umrundete die Landzunge, kam ins freie Wasser, und nun merkte Kari, daß es ernst wurde, denn die Wellen waren hier schrecklich hoch. Doch Kari fürchtete sich vor ihnen jetzt nicht mehr so wie anfangs. Sie biß die Zähne zusammen und ruderte mit aller Kraft weiter. Der Prestholm war als schwarzer Schatten vor dem dunkelgrauen Himmel deutlich zu erkennen. Daneben blitzte ein scharfes weißes Licht auf und verschwand wieder. Das waren womöglich die Fischer, die heimlich und unerlaubt auf Aalfang waren. Onkel Hans hatte davon erzählt, daß so was zur Zeit gemacht würde.

Das Boot kam leicht und rasch vorwärts, denn der Wind wehte vom Land her und trieb es direkt auf den Prestholm zu. Kari fand, daß sie großartig rudern konnte. Schade nur, daß Karsten und Sössa es nicht sahen. Eine Welle hob den Kahn sanft auf und setzte ihn auf den Strand. Kari lachte fröhlich, weil alles so wunderbar glatt gegangen war. Naß war sie zwar geworden, aber nicht so sehr, und außerdem war es nicht kalt. Jetzt würden sich Moni und Mette aber mächtig freuen!

„Moni!" rief sie. „Mette! — Kommt, meine Zicklein, kommt, kommt!"

Niemand antwortete. Die Wellen schlugen rauschend auf den Strand, und der Wind raschelte in den Baumwipfeln.

‚Die schlafen sicher', dachte Kari, ‚sie wissen ja noch nicht einmal, daß ich beinahe von ihnen weggereist wäre. Sie sind ja nicht so klug wie Thyra, die hätte das bestimmt sofort verstanden. Aber es ist auch kein einziges Tier so klug wie Thyra.'

Im Dunkeln tastete sie sich weiter ins Innere der Insel, sie rutschte, stolperte, fiel hin und erhob sich wieder. Der Boden war feucht, und es ging sich sehr schlecht. Erst im Wald war es besser, denn die Baumkronen schützten vor Wind und Regen.

„Moni!" rief Kari wieder und wieder. Sie hatte plötzlich die Vorstellung, die Tiere könnten heimlich von hier fortgeholt worden sein, und sie war schon nahe am Weinen, doch da kam wirklich Antwort. Ganz in ihrer Nähe hörte sie ein schwaches Meckern.

„Mette! Moni!" Augenblicklich war Kari wieder froh. Sie lief auf ihre vierbeinigen Freunde zu und umarmte sie. Die beiden Zicklein verstanden nicht, was das bedeuten sollte. Sie waren schläfrig und hatten keine Lust zum Spielen.

„Kommt mit!" sagte Kari. „Ihr dürft mit mir im Boot fahren, und morgen reisen wir zusammen nach Solbakken." Sie zweifelte nicht einen Augenblick daran, daß sie, hatte sie die Tierchen erst einmal drüben auf dem Festland, sie auch mit nach Hause nehmen durfte.

Doch es erwies sich als unmöglich, das Boot vom Strand herunter wieder ins Wasser zu bekommen, denn es hatte sich zwischen zwei Steinen festgeklemmt. Kari schob und rüttelte, aber sie hätte ebensogut versuchen können, ein Haus wegzuschieben. Der Wind hatte ihr den Südwester in den Nacken geweht und übersprühte sie mit dem weißen Schaum der Brandungswellen, so daß ihr nasses Haar auf der Stirn klebte. Wenn sie sich zwischendurch eine Weile ausruhte, streichelte sie beruhigend die Zicklein, die sich jetzt allerdings, so naß wie sie waren, eklig anfaßten.

Allmählich wurde Kari furchtbar müde, und sie überlegte, ob es nicht besser wäre, wenn sie erst einmal eine Weile schliefe, um dann mit frischer Kraft zu versuchen, das Boot flottzubekommen. Sie nahm also Clara, die sie neben sich in den Sand gelegt hatte, wieder in den Arm. Ganz durchnäßt war die arme Puppe. Dann rief Kari die Zicklein und kehrte zum Wald zurück.

Hier kannten sich die Tierchen aus. Munter liefen sie voran, blieben aber hin und wieder stehen und blickten sich um, ob Kari ihnen auch folge, und schlüpften endlich in ein dichtes Haselgebüsch. Die Zicklein legten sich nieder, und Kari kuschelte sich zwischen sie. Das war gemütlich und warm. Sie schlang einen Arm um Monis Hals, drückte mit dem andern Clara an sich und schlief sofort ein. Die Zeit hatte nicht einmal bis zur zweiten Zeile des Abendgebets gereicht, sondern nur bis: „Lieber Gott, wie gut geht's mir . . ."

Als sie erwachte, glitten die ersten Sonnenstrahlen durch das Netzwerk der grünen Blätter, schienen Kari ins Gesicht und malten ein feines Muster auf den Waldboden. Über ihr stand Moni und zerrte an einem Zipfel der Windjacke.

„Bäh-bäh-bäh", machte es ein Stück weiter fort. Es war Mette, die nach ihrer Schwester rief.

Verwundert richtete Kari sich auf. Im ersten Augenblick konnte sie nicht begreifen, wo sie war, denn ihr war es vorgekommen, als habe Thyra ihr übers Gesicht geleckt. Aber so klein war Thyra doch nicht? Endlich fiel Kari alles wieder ein. Ach, du lieber Himmel, da hatte sie sich ja ordentlich verschlafen! Hoffentlich war bloß bei Onkel Hans und Tante Molla noch niemand wach und ängstigte sich nun um sie. — Und einen Hunger hatte sie! Hätte sie sich doch wenigstens ein paar Scheiben Brot eingesteckt. Moni und Mette waren gut dran, die fraßen alles, was um sie her wuchs.

Als Kari hinunter an den Strand und an das Boot kam, blieb sie erstaunt stehen, denn nun lag plötzlich noch ein Boot daneben, und zwei Männer in Ölkleidung starrten ihr entgegen.

„Was in aller Welt bist du denn für ein kleines Etwas?" fragte der ältere von beiden.

„Ich bin Kari Berg, und ich hab' mich hier verschlafen", erklärte Kari. „Würden Sie mir wohl helfen, das Boot wieder ins Wasser zu schieben? Ich kriegte das heute nacht nicht fertig."

„Was sagt die Kleine da?" fragte der jüngere Mann. „Bist du etwa heute nacht ganz allein auf dem Prestholm gewesen?"

„Nein, nicht ganz allein", erwiderte Kari, „ich hatte ja Moni und Mette bei mir — und Clara. Ich hab' sehr gut geschlafen."

„Na, nu' versteh' ich überhaupt nix mehr!" sagte der Ältere und schob seinen Südwester in den Nacken. „Durftest du denn das, du halbes Portiönchen, bei dem Wetter, das wir heute nacht hatten?"

„Da hab' ich doch nicht um Erlaubnis gefragt, das können Sie sich doch denken", sagte Kari und lachte.

„Da hast du aber mehr Glück als Verstand gehabt", sagte der junge Mann. „Ich kenne zwar den Zusammenhang nicht, aber ich halte es in jedem Fall für das beste, wir bringen die Kleine schnellstens wieder nach Hause, bevor dort alle vor Schreck umfallen. Bist du von Halsa drüben?"

Kari nickte. Sie schöpfte Wasser und wusch sich damit das Gesicht, um endlich richtig wach zu werden. „Wieviel Uhr ist es eigentlich?" fragte sie dabei.

„Gleich fünf!"

„Pah, dann ist es ja nicht so eilig. Vor acht steht bei uns niemand auf. — Wenn ich nur nicht solchen Hunger hätte."

„Wir hatten eben vor, uns Fische zu kochen", sagte der ältere Mann, „vielleicht hast du auch Appetit darauf, was?"

Und ob sie den hatte! Eifrig half Kari, Reisig zu sammeln, während einer der Männer am Strand aus ein paar Steinen rasch einen kleinen Herd aufbaute und der andere aus seinem Boot einen rußigen Kochtopf holte, mit Seewasser füllte und auf das lustig flackernde Feuer setzte. Dann brachte er ein paar silberglänzende Fische, schuppte sie, nahm sie aus und warf sie in den Topf. Es dauerte nicht lange, und das Essen war fertig. Keine Frage — es schmeckte so herrlich, wie Kari noch nie ein Fisch geschmeckt hatte. Während der Mahlzeit fragten die Männer Kari aus, erfuhren nun nach und nach, wie sich alles verhielt, und lachten schallend darüber.

Natürlich waren sie sofort damit einverstanden, daß Moni und Mette mit ihrem Motorboot übergesetzt wurden. Das wäre ja noch schöner, meinte der alte Fischer, da Kari doch ihr Leben aufs Spiel gesetzt hatte für die Tiere. „Aber denk mal", fügte er mit bedenklichem Kopfschütteln hinzu, „wenn heute nacht nicht zufällig der Wind genau auf den Prestholm zu gestanden hätte, dann wärest du bis nach Dänemark hinüber getrieben worden."

„Macht doch nichts", erwiderte Kari obenhin, „in Dänemark hab' ich eine Tante, die hätte ich dann eben besucht." Insgeheim aber gruselte es ihr doch noch bei der Erinnerung an das schwarze Wasser und die Schaumkronen auf den Wellen. Die lange Fahrt wäre dann bestimmt kein reines Vergnügen gewesen. Aber es konnte gar nicht schiefgehen, denn sie hatte ja den lieben Gott gebeten, ihr zum Prestholm hinüber zu helfen. Und offensichtlich war der liebe Gott ebenso besorgt um die Zicklein gewesen wie sie selber.

Nachdem sich alle drei in Ruhe sattgegessen hatten, hob der alte Fischer Kari in sein Motorboot und danach Moni und Mette. Kaum waren die beiden an Bord, wollten sie sich auch schon auf die Fische stürzen, die am Boden des Schiffes in einem Verschlag lagen. Kari mußte ihre Zicklein auf der ganzen Fahrt festhalten. Das Ruderboot hüpfte am Schlepptau hinterher. Es wehte noch immer ein frischer Wind, aber der Himmel war blau, die Sonne schien, und die Uferlandschaft war klar und bunt und sah aus wie blankgescheuert.

Die Männer setzten Kari und ihr Gefolge an der Brücke ab. Bis zum Haus wollten sie sie nicht begleiten, denn sie hatten es eilig, in die Stadt zu kommen, um ihre Fische zu verkaufen, und so tuckerte das Motorboot gleich weiter.

In diesem Augenblick wurde im oberen Stockwerk des Hauses über der Brücke eine Gardine aufgezogen, und ein schläfriges Gesicht schaute aus dem Fenster. Es war Onkel Hans, der von dem Motorlärm wachgeworden war und nun nachsehen wollte, wer denn so früh am Morgen schon anlegte. Da sah er über den Steg ein kleines Mädchen in einer viel zu großen Windjacke kommen und hinter ihm zwei fromme, kleine Tiere. Onkel Hans kniff die Augen zusammen und öffnete sie wieder. Dann zwickte er sich in den Arm — nein, er war wirklich ganz wach, und was er da sah, das waren Kari und ihre Zicklein. Jetzt betraten sie den Garten, und während Moni rasch die schönste Rose abpflückte und auffraß, sprang Mette bereits mit sehr bestimmter Miene die Verandatreppe hinauf.

Onkel Hans lief hinunter, so schnell es ihm bei seiner Leibesfülle möglich war. „Wo in aller Welt kommst du her, Kind?"

„Och, ich war bloß mal auf dem Prestholm und hab' meine Zicklein geholt", erklärte Kari. „Aber da hab' ich mich verschlafen, weil ich das Boot nicht gleich wieder ins Wasser kriegte. Da hat mich Moni geweckt, und dann hab' ich Fische gegessen mit zwei freundlichen Männern, und die haben uns und das Boot herübergebracht. Sie wollten nicht mit heraufkommen, weil sie keine Zeit hatten. Aber die Zicklein kommen auf jeden Fall mit nach Hause, Onkel Hans, denn ich habe sie mir gekauft für mein eigenes Geld."

„Ja, ja, natürlich sollst du sie mit nach Hause nehmen", sagte Onkel Hans und strich sich mit allen zehn Fingern durch die Haare. „Ich bin nur froh, daß wir heute abreisen. Solche Aufregungen sind für einen Mann von meinem Umfang auf die Dauer schwer zu vertragen. — Kari!" rief er plötzlich überrascht. „Ich kann ja meine Zehen sehen! Das hab' ich mindestens zehn Jahre lang nicht mehr gekonnt. Ich glaube, dieses frohe Wiedersehen verdanke ich dir und den Aufregungen, die du mir verschafft hast."

Kari lachte. „Och du, jetzt kohlst du aber! Ich kann doch wohl nichts dafür, daß du deine Zehen sehen kannst."

„Doch, Kari, weißt du, ich habe von den Aufregungen soviel

Fett verloren, daß mein Bauch dünner geworden ist, und nun kann ich meine Zehen von oben wieder sehen."

Als Kari ins Kinderzimmer kam, rief Sössa erschrocken: „Was hast du denn mit Clara gemacht?"

Clara bot wirklich einen traurigen Anblick. Das weiße Kleid sah aus wie ein Waschlappen, die blonden Locken waren zu einer gelben Masse zusammengeklebt, das Gesicht war grau und farblos, und aus einem Bein rieselte Sägemehl heraus. Moni hatte probiert, ob die Puppe eßbar sei. Es war eigentlich ein Jammer um die arme Clara, trotzdem war Kari im Grunde froh darüber, daß sie so an Schönheit und Glanz verloren hatte, denn nun konnte sie ruhig mit nach Hause kommen. So, wie sie jetzt aussah, würde sie bestimmt mit Astrid-Margarethe gleich gut Freund sein. Kari drückte Clara an sich, tanzte im Zimmer herum und sang: „Nach Hause — nach Hause — wir fahren nach Hause..."

Das gab ein Hallo, als sie dort ankam, nicht nur mit einer neuen Puppe, sondern auch noch mit zwei neuen Haustieren. Die Mutter war zuerst ganz entsetzt, die alte Anna kündigte wieder einmal, wie sie es schon oft getan hatte, und Nils murmelte etwas, das wie „leckres Frikassee" klang, ein Wort, das Kari neuerdings nicht mehr hören konnte. Thyra lief einen ganzen Tag lang mit betrübt hängenden Ohren herum, Graupelzchen und Brüderchen dagegen kümmerten sich nicht um den neuen Familienzuwachs. Am glücklichsten war Bassi, die Mette feierlich überreicht bekam. Das erste, was Bassi tat, war, daß sie zur Schere griff und Mette das Ziegenbärtchen abschnitt.

## Ausgerechnet Tobias!

Als Kari am nächsten Sonntagmorgen erwachte, warf sie sofort einen Blick zum Fenster und sprang gleich darauf mit einem Freudenjauchzer aus dem Bett. Ein strahlender Sonnenschein lag auf dem Garten und ließ die bunten Farben der Astern, Dahlien und Georginen aufleuchten.

Heute war ein besonderer Tag: das Brüderchen sollte getauft werden. Karis Freude auf dieses Fest wurde allerdings etwas beeinträchtigt durch den Namen, den die Eltern für ihn ausgesucht hatten, nämlich Tobias. Kari fand es geradezu peinlich, „Tobias" sagen zu müssen, wenn sie später gefragt würde, wie der kleine Bruder heiße. Kein anderer Junge, den sie kannte, hieß so komisch. Aber weil Vatis Vater und sein Großvater Tobias geheißen hatten, sollte das Brüderchen nun auch mit so einem dummen Namen herumlaufen. Wirklich, manchmal waren die Großen gar nicht zu verstehen. Dabei gab es doch so viele hübsche Namen, zum Beispiel Alf und Helge, die mochte Kari am liebsten. Neuerdings gefiel ihr auch Anton sehr gut, aber den fand die Mutter ganz besonders scheußlich. Wahrscheinlich hatte sie, als sie klein war, mal einen Anton gekannt, der ein ekliger Bengel war. Kari dagegen meinte, alle Antons der Welt müßten nett und freundlich sein, Sommersprossen auf der Nase haben und ein Messer in der Tasche.

Gestern abend waren Tante Molla und Onkel Hans aus Oslo gekommen, die bei der Taufe Pate stehen sollten. Natürlich wollte die ganze Famile an der Feier teilnehmen, die in einer uralten Kirche stattfinden sollte. Dort hing ein goldener Engel unter dem Dach, der eine Schale in den Händen hielt, und wenn ein Kind getauft werden sollte, kam der Engel herabgeschwebt, das wußte Kari noch von Bassis Taufe her.

Kari durfte mit dabei sein, als das Brüderchen für den ersten großen Festtag seines Lebens feingemacht wurde. Wie niedlich war doch der kleine, rosarote Körper, wenn er in der Badewanne herumpaddelte. Die winzigen Fäuste klatschten auf das Wasser, und die Füßchen strampelten, daß es spritzte. Dazu gab der kleine Mann die komischsten Kräh-Laute von sich, um darzutun, wie vergnügt er war. Sobald er aber herausgehoben wurde, schlug seine Laune sofort um, und er brüllte voller Empörung.

Kari stand schon mit einem angewärmten Badetuch bereit, das sie der Mutter auf den Schoß legte. Das Brüderchen wurde hineingewickelt und sah nun aus wie ein Eskimo-Baby. Diese Verpackung schien es ganz behaglich zu finden, denn es hörte mit einem Schlag auf zu schreien, und während es abgetrocknet wurde, grunzte es zufrieden. Nacheinander reichte Kari die puppenkleinen Sachen zu, Hemdchen, Jäckchen, Strümpfchen, und zuletzt kam das lange, gestickte Taufkleid, das schon Kari und Bassi getragen hatten, und das jetzt frischgewaschen und gebügelt auf dem Bett lag. Zuvor aber bekam der Kleine noch seine letzte Mahlzeit vor der Abfahrt.

„So, nun kannst du zu Nils gehen, Kari, und ihm sagen, daß er anspannen soll", sagte die Mutter, nachdem sie dem kleinen Täufling das Festkleid übergezogen und ihm ein weißes, besticktes Häubchen mit einer hellblauen Seidenschleife aufgesetzt hatte, die sie unter dem Kinn festband. Er sah so süß aus, daß sich Kari gar nicht von ihm trennen konnte. Und während sie ihn betrachtete, geschah auf einmal etwas: die tief-dunkelblauen Kinderaugen starrten sie an, dann blitzte es in ihnen auf wie von winzigen Lichtfunken, und gleichzeitig öffnete sich der zahnlose Mund zu einem strahlenden Lächeln. Es war wie ein Wunder!

„Mutti!" rief Kari fassungslos. „Mutti, eben hat er mich angelacht!"

„Ach nein, Karilein", erwiderte die Mutter kopfschüttelnd, „da hat er wohl bloß das Gesichtchen verzogen, weil's im Bäuchlein kniff. Jemanden richtig erkennen und sich darüber freuen, das kann er frühestens in ein paar Wochen."

Aber Kari wußte genau, daß das Brüderchen sie erkannt hatte und es ihr zeigen wollte. Nun hatten sie beide ein kleines Geheimnis miteinander.

Sie lief hinaus, um Nils zu suchen. Auf dem Hof begegnete ihr Thor, der irgend etwas im Maul hatte, womit er in übermütigen, tollpatschigen Sprüngen zur Hundehütte rannte. Was es war, konnte Kari nicht erkennen, und sie hatte im Augenblick auch keine Zeit, es zu untersuchen.

Nils war in seinem Zimmer, wo er — offenbar rasend vor Wut — hin- und herhumpelte. Dazwischen ließ er sich schwerfällig auf die Knie nieder, um unter das Bett, den Schrank oder die Kommode zu sehen.

„Hast du was verloren?" fragte Kari vorsichtig. „Mutti läßt sagen, du könntest jetzt anspannen."

„Anspannen! Anspannen!" knurrte Nils. „Meinst du, ich könnte mit einem Schuh in die Kirche fahren, he? Oder kannst du mir verraten, wo der andere geblieben ist? Gestern abend spät hab' ich sie noch so fein geputzt, und jetzt ist einer weg. Aber das sag' ich dir, bald ist Schluß mit meiner Geduld! Ich werd' schon dafür sorgen, daß der kleine Mistköter vom Hof kommt. Vorige Woche hat er meine Pantoffeln aufgefressen." Nils kochte vor Zorn, denn es half alles nichts, der Schuh war nicht zu finden, und so mußte er schließlich seine Alltagsschuhe anziehen.

„Aber Nils, die sehen doch auch noch gut aus, da ist beinahe gar kein Unterschied", meinte Kari tröstend. Doch als Nils nunmehr zu platzen drohte vor Ärger, ging sie lieber rasch hinaus.

Was mochte Thor vorhin weggeschleppt haben, überlegte Kari. Wenn es tatsächlich der Sonntagsschuh von Nils gewesen war, konnte das Leben oder Tod für den Hund bedeuten. Kari hatte ihr bestes Kleid an, das weiße mit den vielen kleinen Rüschen, das Tante Molla ihr im Frühjahr geschenkt hatte, als sie bei den Verwandten in Oslo zu Besuch war, und sie wußte aus mancher trüben Erfahrung, daß man sich von der Hundehütte lieber fernhielt, wenn man fein angezogen war. Aber was half's, sie mußte unter allen Umständen sofort nachsehen, was Thor in der Schnauze gehabt hatte.

Natürlich! Da lag der Lümmel ganz vergnügt und knabberte mit Genuß an Nils' Schuh. Kari wollte danach greifen, aber Thor war schneller und entwischte ihr mit der Beute in wildem Galopp quer durch den Küchengarten. Kari rannte hinter ihm her. Das faßte Thor als ein herrliches Fangespiel auf, er wartete jedesmal, bis Kari ihn fast erreicht hatte, dann machte er einen Satz zur Seite, wobei der Schuh an einem Schnürsenkel baumelte, und die Jagd ging weiter.

Endlich gelang es Kari, den Schuh zu fassen. Aber Thor ließ nicht los. Mit einem kräftigen Ruck wollte er ihn wieder an sich zerren, da riß der Schnürriemen, und Kari fiel der Länge nach in die Brennesseln. Es tat scheußlich weh. An Beinen, Armen und im Gesicht brannte es wie Feuer. Doch erst warf Kari den unseligen Schuh in hohem Bogen über die Hecke, wo er hoffentlich nie gefunden würde, ehe sie anfing zu schreien. Fast alle kamen aus dem Haus gestürzt.

„Um Himmels willen, wie siehst du denn aus, Kind!" rief die Mutter verzweifelt. Wirklich, das schöne weiße Kleid sah aus wie ein Schmutzlappen, und eine Rüsche war halb abgetrennt — das hatte sicher Thor gemacht bei der Jagerei eben. Kari schluchzte herzzerbrechend.

„Nun müssen wir ohne dich wegfahren", sagte die Mutter traurig, „wir können doch deinetwegen nicht auf die Taufe verzichten. Anna hat heute vormittag tausend Dinge zu erledigen, sie muß die Enten braten und den Tisch decken, sie kann sich jetzt unmöglich um dich kümmern."

„Fahrt nur ab, ich bleibe zu Hause bei Kari", sagte da plötzlich der freundliche, dicke Onkel Hans, „wir beiden werden schon miteinander zurechtkommen, nicht, Kari?"

Kari sah den Wagen aus dem Tor rollen. Auf diesen Tag hatte sie sich nun seit Wochen gefreut! Sie war so unglücklich, daß sie nicht einmal mehr weinen konnte.

„Wart' nur, wir werden was viel Feineres machen, wir beide", sagte Onkel Hans und nickte Kari aufmunternd zu. Er ging selber mit ihr in die Badestube und wusch den Schmutz von ihrem Kleid, dann träufelte er aus einer Flasche etwas Weißes auf ein Taschentuch und linderte damit die brennenden Stellen auf ihrer Haut.

„Ein Mann, der wie ich in den Tropen gelebt hat", erklärte er, „weiß sich in den schlimmsten Lebenslagen zu helfen. Ein Biß von einer Schlange oder einer giftigen Spinne wäre gefährlicher als das hier — der Stich eines Skorpions übrigens auch. Aber der Onkel Hans weiß immer Rat."

Wirklich ließ das Brennen rasch nach, und ehe Kari wußte, wie es zugegangen war, hatte sie Onkel Hans die ganze betrübliche Geschichte mit dem Schuh von Nils erzählt; dann von all den anderen Dummheiten, die Thor schon gemacht hatte, und schließlich auch alle Gegenstände aufgezählt, die durch seine Schuld auf dem Müllhaufen gelandet waren. Es tat so gut, sich das einmal vom Herzen reden zu können und nicht immer geheimhalten zu müssen.

„Weißt du, Onkel Hans, der Thor macht das ja nicht, weil er unartig sein will, bloß — na ja — es macht ihm eben solchen Spaß, mit Pantoffeln und Schuhen und so was zu spielen, genauso wie Kinder gern mit Puppen spielen."

„Gewiß, gewiß, das versteh' ich gut", versicherte Onkel Hans, „aber ich verstehe ebenso gut, daß es für Nils und Anna kein Spaß ist, Thor zuliebe auf ihre Pantoffeln, Ausgehschuhe oder das Gesangbuch zu verzichten. Sollen sie sich vielleicht für ihr schwer erarbeitetes Geld immer wieder was Neues kaufen, nur weil es dem lieben Thor Spaß macht, ihre Sachen zu zerreißen?"

Von diesem Standpunkt aus hatte Kari die Sache allerdings noch nicht betrachtet. Sie seufzte. Ach, warum mußte immer alles so schwierig werden, sobald man darüber nachdachte!

„Sieh mal", sagte Onkel Hans, „in diesem Fall ist der Schaden ja zum Glück noch nicht so groß, als daß er nicht wieder gutzumachen wäre. Leider ist das nicht immer so. Aber jetzt nimm hier meine Pantoffeln und stelle sie Nils in die Stube. Dann werden wir seinen Schuh zurückholen, den du weggeworfen hast, und nachsehen, ob er kaputt ist. Wenn ja, werde ich Nils ein neues Paar spendieren. Und zu einem Gesangbuch für Anna wird's wohl auch noch reichen."

„Vielen, vielen Dank, lieber Onkel Hans!" rief Kari glücklich und umarmte den dicken Onkel so stürmisch, daß ihm fast die Luft wegblieb, dann lief sie hinaus, um den Schuh zu holen. Er war zum Glück nicht kaputt. Als sie zurückkam, stand Onkel Hans am Telefon.

„Ja, kommen Sie bitte sofort her", sagte er in den Apparat. Dann wandte er sich zu Kari um. „Zieh dir schnell ein anderes Kleid an, Kari! Ich glaube, deine Mutti wird keinen Wert darauf legen, dich in dem zerrissenen Fetzen in der Kirche zu sehen."

„Fahren wir doch in die Kirche?" rief Kari und machte einen Luftsprung vor Freude.

„Ja, ja, beeil' dich, Mädel, das Auto wird jeden Augenblick hier sein. Ich nehme an, wir werden dann noch vor den anderen dort ankommen, denn Sota sieht mir nicht nach einem Rennpferd aus."

„Hast du eine Ahnung, Onkel Hans, wie die wegrennen kann, wenn ich sie fangen will, um drauf zu reiten", versicherte Kari, während sie hastig aus dem Festkleid schlüpfte und das karierte Sonntagskleid überzog.

Gerade war sie damit fertig, als auch schon das Auto im Hof tutete. Als sie abfuhren, war Kari so glücklich, daß sie rasch noch einmal dem Onkel um den Hals fallen mußte. Bestimmt gab es niemanden auf der Welt, der noch netter war als er — außer dem Vater natürlich!

Kurz bevor sie die Kirche erreichten, überholten sie den Wagen mit Sota davor. Kari hockte sich nieder, um nicht gesehen zu werden. Und als der Vater und Bassi in die Kirche kamen, saßen sie und der Onkel bereits in aller Ruhe auf der hintersten Bank. Die Mutter, Tante Molla und das Brüderchen sollten einen anderen Eingang benutzen, von dem aus man nicht so deutlich hörte, wie unwirsch die Täuflinge über diese ungewohnte Unterbrechung ihres Tagesablaufs waren.

Kari hielt die kleine Schwester am Röckchen fest, als sie an ihrer Bank vorüberging, und Bassi rief vor Überraschung so laut „Kari", daß sich alle Leute, die vor ihnen saßen, erstaunt umdrehten; und der Vater machte ein Gesicht, als traue er seinen Augen nicht.

Die Orgel brauste auf, und die Sonne schien durch die Fenster, so daß ihre bunten Glasmuster strahlten wie Aladins Wunderlampe, rot, blau, gelb und grün. Unter der Balkendecke hing ein feines, großes Segelschiff mit Masten, Segeln, Tauen und allem, was dazugehört. Aber das schönste war doch der goldene Engel, der über dem Altar schwebte und das goldene Taufbecken in den Händen hielt.

Dann kamen die Mütter und Paten mit den Täuflingen herein, es waren im ganzen sechs. Tante Molla trug das Brüderchen. Keins von den anderen Babys hatte ein so prächtiges und langes Taufkleid. Und sie schrien und quäkten alle, nur das Brüderchen nicht. Die Mutter hatte sich zu den anderen Müttern in die vorderste Bank gesetzt. Es war eigentlich komisch, fand Kari, daß sie bei der Taufe gar nicht mit dabei sein sollte.

Dann kam der Pastor heraus und sagte etwas, und der goldene Engel begann langsam und feierlich herabzuschweben. Kari kannte das ja schon.

Aber da geschah etwas Unerwartetes: Bassi schrie auf, und ehe sie jemand zurückhalten konnte, war sie aufgesprungen und rannte durch den Mittelgang nach vorn, wobei sie aufgeregt rief:

„Neiiiin! Der Engel soll Brüderchen nicht wegnehmen!"

Es gab einen großen Aufruhr in der Kirche und eine wilde Jagd, bis die Mutter Bassi zu fassen bekam, bevor sie den Altar erreichte. Es war schrecklich peinlich, fand Kari. Nur Onkel Hans lachte, daß sein ganzes vieles Fett wackelte. Kari guckte in die Luft und tat, als kenne sie das dumme Mädel gar nicht, das da an Vaters Hand die Kirche verließ. Nun kam der Pastor endlich dazu, das zu tun, was er tun wollte, und das Brüderchen wurde ordnungsgemäß mit Engelwasser getauft. Wenn es doch bloß nicht Tobias hieße! Kari überlegte, ob es wohl Zweck haben könnte, so zu tun, als ob man ihn auch nicht kenne. Sie meinte, alle Menschen müßten sie auslachen, weil sie eine Schwester habe, die vor einem goldenen Engel Angst hatte, und einen Bruder, der Tobias hieß.

Als die Feier zu Ende war und alle aus der Kirche traten, sahen sie den Vater und Bassi auf einer Bank an der Friedhofsmauer sitzen und auf sie warten. Bassi baumelte ganz vergnügt mit den Beinen.

„Warum bist du bloß immer so dumm?" fuhr Kari sie wütend an.

Aber Bassi grinste nur und sang laut und falsch:

„Ene mene Fliegendreck!
Ene mene, du bist weg!
Ix ax u — und raus bist du!"

Kari zuckte mit den Schultern und wandte sich ab. Aus der Kleinen war nicht klug zu werden.

Nach der Tauffeier sollte ein Begräbnis stattfinden, und so hielt ein Auto vor dem Kirchenportal, und ein paar Trauergäste mit Zylindern auf den Köpfen und schwarzen Floren um den Ärmel, stiegen aus.

„Guck mal, was haben die denn für komische Hüte auf!" rief Bassi. „Was sind das für welche, Mutti?"

„Begräbnishüte!" erklärte die Mutter nur kurz, denn sie war gerade damit beschäftigt, das Brüderchen zu beruhigen, das nun mit lautem Geschrei dagegen protestierte, Tobias zu heißen. Als alle im Wagen saßen und anfuhren, stand Bassi noch einmal auf, blickte zu den Zylinderhutmännern zurück und fragte mit einem Seufzer: „Du, Kari, wovon sind die denn gestorben?"

Da mußte der alte Nils so lachen, daß er fast vom Kutschbock gefallen wäre. „Ist denn so was möglich!" rief er mit glucksender Stimme. „Da glaubt unser kleines Goldkind wahrhaftig, wir hätten da eben die Leiche persönlich getroffen. Bassi, Bassi, du bist mir vielleicht ein Witzbold, bist du — jawoll!"

Vor Vergnügen schien er die Sonntagsschuhe und Thor ganz vergessen zu haben. Kari hatte ihn noch nie so liebenswert gefunden wie heute.

Ende dieses ◆ Karo-Buches

Von Pet Bugge sind erschienen:

**Kari, die kleine Tierfreundin**
**Kari als Schulmädel**
**Kari auf der Alm**
**Karis abenteuerliche Tage**
**Kari auf Fahrt**
**Kari am Fjord**